Pour Mathilde,

Notdog

Volume 2

Amuse-toi bien
avec Notdog!

Syl
Denosin

25 nov. 2012

D1516968

Les éditions de la courte échelle inc.
5243, boul. Saint-Laurent
Montréal (Québec) H2T 1S4
www.courteechelle.com

Direction artistique : Jean-François Lejeune
Conception de la couverture : Sara Bourgoin
Conception graphique de l'intérieur : Sophie Lemire

Dépôt légal, 1er trimestre 2010
Bibliothèque nationale du Québec

Copyright © 2010 Les éditions de la courte échelle inc.

La courte échelle reconnaît l'aide financière du gouvernement du Canada
par l'entremise du Programme d'aide au développement de l'industrie de
l'édition pour ses activités d'édition. La courte échelle est aussi inscrite au
programme de subvention globale du Conseil des Arts du Canada et reçoit
l'appui du gouvernement du Québec par l'intermédiaire de la SODEC.

La courte échelle bénéficie également du Programme de crédit d'impôt pour
l'édition de livres - Gestion SODEC - du gouvernement du Québec.

**Catalogage avant publication de Bibliothèque et Archives nationales du
Québec et Bibliothèque et Archives Canada**

Desrosiers, Sylvie

    Notdog

    (Roman jeunesse)

    Publ. à l'origine en volumes séparés.

    Sommaire: v. 2. Qui veut entrer dans la légende? ; Les extraterrestres

    sont-ils des voleurs? ; Qui veut entrer dans la peau d'un chien? ;

    L'héritage de la pirate.

    Pour les jeunes de 9 ans et plus.

    ISBN 978-2-89651-339-0 (v. 2)

    I. Sylvestre, Daniel. II. Titre. III. Collection: Roman-jeunesse.

PS8557.E874N67 2009   jC843'.54   C2009-941658-1
PS9557.E874N67 2009

Imprimé au Canada

Sylvie Desrosiers

Ne vous fiez pas au sourire réservé de Sylvie Desrosiers : malgré son apparence réfléchie, elle aime rire et faire rire. Pour écrire, elle cherche dans ses souvenirs, fouille dans ses carnets et peut se réveiller la nuit si une bonne idée apparaît ! Mais même lorsqu'elle travaille beaucoup, elle éteint toujours son ordinateur quand son fils rentre de l'école. Et elle ne manque jamais une occasion d'aller avec lui au cinéma ni de lui cuisiner des pâtes à toutes les sauces !

Daniel Sylvestre

Enfant déjà, Daniel Sylvestre dessinait. Un jour, en visite chez des amis de ses parents eux-mêmes artistes, il découvre leur travail. Séduit, il prend une décision : quand il sera grand, il sera peintre ! En route donc pour des études d'art, d'abord à Montréal, puis à Paris et à Strasbourg. Il y suit une formation très exigeante, dessinant du matin au soir. Aujourd'hui, il partage son temps entre l'illustration de livres et son travail d'artiste graveur. Minutieux, il apporte un grand soin à chacune de ses créations. Sans jamais oublier d'y mettre une touche d'humour !

De la même auteure à la courte échelle

Collection Premier Roman
Série Thomas :
Au revoir, Camille !
Le concert de Thomas
Ma mère est une extraterrestre
Je suis Thomas
L'audition de Thomas

Collection Roman Jeunesse
Série Notdog :
La patte dans le sac
Qui a peur des fantômes ?
Le mystère du lac Carré
Où sont passés les dinosaures ?
Méfiez-vous des monstres marins
Mais qui va trouver le trésor ?
Faut-il croire à la magie ?
Les princes ne sont pas tous charmants
Qui veut entrer dans la légende ?
La jeune fille venue du froid
Qui a déjà touché à un vrai tigre ?
Peut-on dessiner un souvenir ?
Les extraterrestres sont-ils des voleurs ?
Quelqu'un a-t-il vu Notdog ?
Qui veut entrer dans la peau d'un chien ?
Aimez-vous la musique ?
L'héritage de la pirate
La tombe du chaman

Collection Ado
Le long silence
Les trois lieues

Série Paulette :
Quatre jours de liberté
Les cahiers d'Élisabeth

Notdog autour du monde !

Le chien Notdog est célèbre un peu partout dans le monde. On peut lire plusieurs de ses aventures en chinois, en espagnol, en grec et en italien.

Des honneurs pour l'auteure Sylvie Desrosiers

- Prix du Gouverneur général du Canada, littérature jeunesse, pour *Les trois lieues* (2008)
- Finaliste, Prix Wallonie-Bruxelles pour *Les trois lieues* (2008)
- Prix à la création artistique du CALQ en Montérégie pour l'ensemble de sa démarche artistique (2008)
- Prix spécial du jury de la Fondation Espace-Enfant en Suisse, remis à l'auteur du « livre que chaque enfant devrait pouvoir offrir à ses parents », pour *Au revoir, Camille!* (2000)
- Prix 12/17 Brive-Montréal pour *Le long silence* (1996)
- Finaliste, Prix du Gouverneur général du Canada, littérature jeunesse, pour *Le long silence* (1996)
- Finaliste, Prix Alvine-Bélisle pour *Les cahiers d'Élisabeth* (1991)

Des honneurs pour l'illustrateur Daniel Sylvestre

- Finaliste, Prix du Gouverneur général du Canada pour *Ma vie de reptile* (2007)
- Prix du salon du livre de Trois-Rivières pour *Ma vie de reptile* (2007)
- Palmarès Communication Jeunesse, prix des enfants, pour *A.A aime H.H.* (2000)
- Deuxième prix, Biennale de l'illustration québécoise pour *La musique des choses* (1999)
- Finaliste, prix du Gouverneur général du Canada pour *Mais qui va trouver le trésor ?* (1992)
- Prix d'excellence de l'Association des consommateurs du Québec pour *Le dragon*, série Zunik (1991)
- Finaliste, prix du livre M. Christie pour *Le dragon*, série Zunik (1991)
- Prix Québec/Wallonie-Bruxelles pour *Je suis Zunik* (1985)

Pour en savoir plus sur la série Notdog,
visitez le www.courteechelle.com/collection-roman-jeunesse

Sylvie Desrosiers

QUI VEUT ENTRER DANS LA LÉGENDE ?

**Illustrations
de Daniel Sylvestre**

la courte échelle

clapotis
crique
proue /poupe.
Sommaire

Chapitre I
L'endroit rêvé

C'est la nuit. Une brume épaisse recouvre le paysage. Sans rien voir, Agnès avance lentement, guidée par le clapotis des vagues toutes proches.

Ses pieds nus s'enfoncent dans le sable froid de la plage. Parfois, un rayon de lune arrive à percer à travers la brume et éclaire les coquillages échoués ici et là.

Il vente, pourtant Agnès n'a pas froid. Elle est toute seule, mais, du haut de ses douze ans, elle n'a pas peur.

Des crabes s'écartent sur son passage. Des vagues viennent mouiller le bas de son jeans. L'humidité de l'air fait boucler ses cheveux roux.

Les mains enfoncées dans les poches de

son blouson, elle marche, le nez chatouillé par les odeurs de varech, de sel et de poisson.

Elle enjambe une petite épave, morceau de bois entouré d'une chaîne rouillée.

Elle grimpe sur un rocher. En s'agrippant aux saillies, elle découvre une inscription gravée dans la pierre: OLAN 96. Elle arrive tout en haut du rocher. Le brouillard se retire, et la lune éclaire une crique. Un des rochers qui l'entourent a la forme d'une tête de cheval, crinière au vent.

Le bruit des vagues s'intensifie soudain. Agnès tend l'oreille. Ce qu'elle entend est difficile à définir.

«On dirait un cheval», se dit-elle.

C'est alors qu'elle aperçoit des dos blancs qui entrent et sortent de l'eau, presque joyeusement.

Les dos blancs accompagnent un voilier qui s'engage dans la crique. Mais il ne s'agit pas d'un bateau ordinaire. Agnès n'en a jamais vu de semblable: il est immense, tout de bois, surmonté d'une voile carrée avec un dragon sculpté à la proue. Il n'y a pas de moteur, mais une longue rangée de rames entrent et sortent de l'eau en cadence.

Agnès regarde l'étrange vaisseau accoster. Des hommes et des femmes très grands, aux cheveux très longs et parlant une drôle de langue mettent pied à terre.

Agnès n'a pas peur. Au contraire, elle se sent attirée par ces étranges marins.

Une des femmes la voit s'approcher. Elle s'avance vers elle, lui sourit, l'invite même, avec des gestes doux, à monter. Agnès s'engage sur la passerelle.

Au moment où elle pose le pied sur le pont de ce fabuleux navire, un affreux monstre aux dents jaunes, une bave gluante dégoulinant de sa langue, l'attaque.

Épouvantée, toute en sueur, elle ouvre les yeux. Et elle découvre, penché sur elle, à deux pouces de son nez, Notdog, le chien le plus laid du village.

— Ouache! Tu sens donc mauvais! On dirait que tu as mangé des moules pourries.

Insensible à ce genre de commentaire, Notdog colle son nez mouillé sur la joue d'Agnès, la lèche.

— O.K. je me lève. Où sont les autres?

Par la moustiquaire de la tente, Agnès voit le soleil. Elle s'étire dans son sac de couchage humide, bâille. C'est alors qu'une bonne odeur d'oeufs au bacon la réveille complètement.

Chapitre II
Histoire à dormir assis

C'est presque la fin du mois de septembre, mais les journées sont encore chaudes. Même dans cet endroit sauvage, loin dans le Nord, là où le fleuve est trop large pour qu'on puisse apercevoir l'autre rive.

Un petit groupe d'enfants campe sur le bord de l'eau. Ce sont des élèves d'une même classe, qui viennent des Cantons-de-l'Est. On leur a organisé un séjour de cinq jours en camping, espérant les intéresser un peu à la géographie et à l'histoire.

Dans le groupe on distingue particulièrement trois jeunes. Agnès, la rousse qui porte des broches. John, un Anglais blond à lunettes. Jocelyne, une jolie brune qu'on reconnaît de très loin, car elle a toujours collé contre elle son fidèle chien, Notdog.

En principe, personne n'avait le droit d'amener un animal. Mais Jocelyne, têtue et incapable de se séparer de son chien, l'a fait monter en secret dans l'autobus.

Le passager clandestin devait faire le voyage caché sous un sac de couchage conçu pour les froids arctiques, au moins. Mais à la hauteur de Québec, sur le point de suffoquer, il est sorti de sa cachette en courant pour sauter sur sa maîtresse et l'implorer:

«Ouvre la fenêtre, abandonne-moi sur l'autoroute, fais-moi tondre comme un caniche! N'importe quoi pourvu que j'aie froid!»

Évidemment il a seulement jappé; mais Jocelyne a bien compris et a versé sur lui sa bouteille de jus de pomme froid.

Passé la tempête qu'ont faite les deux professeurs responsables, il a bien fallu admettre qu'on ne pouvait pas renvoyer Notdog chez lui. Il est donc resté, au grand plaisir de tous les enfants. Et même des profs, qui lui font des caresses à la dérobée.

Justement, Notdog est en train de se rouler dans la boue pour se rafraîchir. Les enfants, quant à eux, finissent une toilette sommaire, en plein air.

Agnès se brosse les dents, ou plutôt les broches. Jocelyne se lave le bout des doigts. John se peigne les cheveux.

— Les cheveux tiennent pas mal mieux quand ils sont gros, dit-il.

— Gras, tu veux dire, pas gros, le reprend Agnès, comme elle le fait chaque fois qu'il commet une faute de français.

— C'est génial, le camping sauvage, pas de bain, pas de douche, apprécie Jocelyne.

Agnès se rince la bouche, crache dans un petit bassin :

— J'ai fait un drôle de rêve ce matin. Je marchais sur la plage et j'ai vu un bizarre de bateau accoster dans une crique, avec à son bord des gens qui semblaient venir d'un autre monde.

— Moi, j'ai fait un horrible cauchemar, continue Jocelyne. J'étais attaquée par des homards géants qui portaient des perruques noires.

John y va de son explication :

— Ça, c'est parce que tu as mangé trop de guimauves à moitié brûlées, c'est mauvais pour le cerveau, surtout les roses.

Une jeep arrive au campement. Un

jeune homme en sort, énergique, enthousiaste, souriant.

Le prof d'histoire, M. Thibodeau, surnommé M. Tibody à cause de sa petite taille, invite tout le monde à se rassembler.

— Les enfants, voici notre guide, Pierre Laroche, géologue. Il va vous révéler tous les secrets de la formation de cette partie du territoire.

— Ça va être plate, murmure Jocelyne, qui aimerait mieux courir sur le bord de l'eau avec son chien.

Mme Gingras, la prof de géographie, surnommée Mme Gingrouille parce qu'elle ne reste jamais en place, lance sèchement à Jocelyne:

— Si ça ne t'intéresse pas, on peut toujours te laisser la corvée de vaisselle.

Pierre Laroche s'approche de Jocelyne:

— Tu vois la montagne là-bas? Elle se nomme L'Aigle. Bien sûr elle apparaît comme un tas de roches. Mais les Amérindiens racontent qu'il s'agit d'un aigle qui a été changé en pierre. Veux-tu savoir pourquoi?

Un peu mal à l'aise, avec tous ces regards braqués sur elle, Jocelyne fait oui timidement.

Pierre Laroche invite tout le monde à s'asseoir par terre.

— Il y a très longtemps vivait ici un aigle qui régnait sur la région. Il avait fait un pacte avec le vent: celui-ci l'aiderait toujours à voler à condition que l'aigle n'essaie pas de le voir lorsqu'il se reposerait. Parce que le vent, pour dormir, prenait une forme humaine.

«Il allait se coucher dans une caverne où

il s'étendait sur un lit de branches de sapin. Se levait alors une petite brise qui n'était que le souffle léger de la respiration du dormeur.

« L'aigle passait souvent près de la caverne, située au sommet de la montagne. Longtemps il tint sa promesse. Toutefois sa curiosité grandissait de jour en jour. À quoi pouvait donc ressembler le vent ? Était-ce un jeune homme ? Un vieil homme ? Était-il beau ou avait-il d'horribles verrues partout sur le corps ? Et si le vent était une belle jeune fille ? Et que l'aigle tombait amoureux d'elle ?

« Un jour, n'y tenant plus et sachant que le vent était profondément endormi, il entre dans la caverne. Doucement, sans un bruit, il s'approche de la créature qui dort paisiblement. Mais voilà que le souffle du vent vient s'enrouler autour d'une aile de l'aigle et que le bruissement qui en résulte réveille le dormeur.

« L'aigle se sait perdu, car lorsque le vent se met en colère, la tempête qu'il soulève est terrible. Mais il se dit qu'il aura au moins satisfait sa curiosité.

« Il se trompait. Car il fut changé en pierre avant même que le dormeur se retourne.

«La fureur du vent dura cinq jours, et toute la végétation aux alentours fut balayée pour ne laisser derrière elle que ce gros tas de roches.»

Juste au moment où Pierre Laroche termine son récit, Jocelyne regarde la montagne et elle a l'impression que l'oiseau bouge.

— Alors, Jocelyne, et la vaisselle? l'interroge Mme Gingrouille.

— Je vais laisser faire, je ne trouve pas ça si plate, finalement.

Le géologue lui sourit:

— Il y a plein d'autres légendes sur la région. Plus tard je vais vous raconter celle du vaisseau de la crique du cheval.

— Où ça? demande Agnès, intriguée.

— Oh! pas loin. Dans une crique là-bas, au bout de la plage. Mais avant on va parler des plantes et des fleurs qui...

Agnès n'écoute pas et repense à son rêve, songeuse.

Chapitre III
Il était
un très gros navire

Côte à côte, John, Agnès et Jocelyne, les trois inséparables, marchent sur la plage, suivis par des mouettes qui espèrent recevoir quelque chose à manger. La mer est basse et de gros paquets d'algues traînant sur le sable marquent la ligne de la marée haute.

À cent mètres devant eux, le reste de leur groupe avance joyeusement, entourant les deux professeurs et Pierre Laroche.

John brise un biscuit et en jette les miettes aux oiseaux:

— C'est nono quand même les légos, dit John.

— Les légendes, John, pas les légos, le reprend Agnès.

— Pourquoi dis-tu ça? demande Joce-lyne.

— Parce que, pour croire à l'histoire du vent qui prend une forme humaine pour dor-mir, il faut avoir deux ans d'âge mental.

Agnès rétorque:

— Tu es trop terre-à-terre, John. Moi je trouve que c'est une jolie histoire, même si ça ne se peut pas.

Tout près d'eux, Notdog gambade, pose son nez partout, reniflant toutes ces nou-velles odeurs de bord de mer. Il s'amuse à japper et à faire décoller les mouettes en fonçant vers elles. Il s'arrête soudain près d'un morceau de bois, creuse dessous. Jocelyne s'approche:

— Qu'est-ce que tu as encore trouvé? Non! Donne!

Elle a juste le temps d'enlever un oiseau mort de la gueule de son chien avant qu'il ne l'avale tout rond.

— Veux-tu mourir empoisonné, toi?

Notdog n'est pas d'accord. «Il a l'air absolument succulent, cet oiseau-là, pour-quoi me l'enlève-t-elle? Est-ce que je lui ôte sa saucisse à hot-dog de la bouche, moi?» pleure Notdog, pas content du tout de perdre un vrai festin.

John et Agnès arrivent à leur hauteur.

— Dégueulasse, grimace Jocelyne, en regardant ses mains pleines de bave de chien.

Agnès lui tend son petit foulard:

— Tiens, essuie-toi avec ça. Tu le lave-ras avant de me le rendre, par exemple.

Elle fige tout à coup:

— Le bout de bois, regardez!

— Qu'est-ce qu'il a, le bout de bois?

s'étonne Jocelyne.

— Il y a une chaîne.

— Et après? Tu les conditionnes? demande John.

— Collectionnes, pas conditionnes; non, c'est le même que dans mon rêve.

Agnès raconte alors sa promenade au bord du fleuve au cours de la nuit précédente. Mais cela n'impressionne pas trop ses amis. Ils trouvent tout à fait normal de faire ce genre de rêve quand on est couché à dix mètres d'un cours d'eau et qu'on entend des bateaux passer.

Du haut d'un rocher, M. Tibody les appelle. Ils pressent le pas et rejoignent le groupe, qui est déjà de l'autre côté d'une petite muraille.

Ils débouchent sur une crique.

— Vous voyez le rocher en forme de tête de cheval? dit Pierre Laroche.

— Ça y est, on va avoir droit à la légende du cheval changé en pierre parce qu'il avait voulu voir dormir un «au-vent», murmure John.

— Ou bien un «para-vent»? ricane Agnès.

— Non, un «cou-vent», pouffe Jocelyne.

Le géologue sourit en entendant les jeux de mots des enfants. Puis il commence son explication:

— Cette fois-ci, il ne s'agit pas de cheval changé en pierre, non; ce cheval a été créé comme cela pour protéger l'arrivée d'un navire tout à fait spécial.

«Bien avant que Jacques Cartier ne vienne explorer le Nouveau Monde, des gens sont venus jusqu'ici. Mi-humains, mi-dieux, ce sont eux qui ont amené dans le fleuve les bélugas, qui seraient, dit-on, le fruit des amours d'une baleine et d'une jeune fille rieuse.

«Ces humains-dieux ont un étrange physique: ils sont blonds, mais ont les yeux bridés des Asiatiques. Leur peau est blanche, mais ils sont aussi grands et ont les mêmes traits que les Masaïs d'Afrique.

«Depuis plusieurs centaines d'années, ils viennent pêcher dans le fleuve. Et ils débarquent dans cette crique où nous sommes. Ils n'ont que quelques heures pour marcher sur la terre ferme et s'étendre sur l'herbe fraîche avant de retourner naviguer pendant des années et des années encore.

«En repartant, ils répandent sur l'eau une poudre dorée qui ensemence le fleuve;

c'est pour ça qu'il y a toujours eu autant de poissons ici.

«La crique est pleine d'écueils. En principe, aucun navire ne peut y pénétrer. Mais lorsque le mystérieux vaisseau arrive, le cheval s'anime soudainement, et l'écho de ses hennissements guide le bateau à travers les obstacles.»

— L'avez-vous vu? s'inquiète Jocelyne.

— Non. Il s'agit encore une fois d'une légende qui est racontée de génération en génération. Voyez-vous, ça ne servirait à rien de se poster ici tous les soirs pour vérifier si l'histoire est vraie. Car la légende dit aussi que ces marins ne viennent ici qu'une fois par cent ans.

Juste à ce moment, des vagues commencent à se former dans la crique. Des vagues qui ne peuvent provenir que d'un bateau. Les enfants, silencieux, sentent leur coeur battre dans l'attente de l'apparition du mystérieux vaisseau. Alors, transporté par le vent du large, un bruit à peine perceptible leur parvient.

Le bruit s'amplifie. Et juste avant qu'ils aperçoivent quelque chose au-delà de la crique, les enfants reconnaissent le ronronnement d'un moteur qui propulse une

Qui veut entrer dans la légende ?

barque assez petite. Un homme dissimulé sous son imperméable jaune est assis, manoeuvrant le gouvernail.

Mais au lieu de répondre aux salutations déçues des enfants, il fait demi-tour et se sauve à toute vitesse.

Chapitre IV
Coeur et place nets

Ce soir-là, dans la tente des deux filles, la conversation est, disons, animée.

— Je vous dis que c'est exactement comme dans mon rêve! Le rocher en forme de tête de cheval, les gens blonds, tout! insiste Agnès.

John, quelque peu irrité, lui répond:

— Tu sais, tu commences à être pas mal fatigante avec ça: mon rêve ici, mon rêve là. Tu as juste ce mot-là dans la douche.

— Bouche, John, pas douche, murmure Agnès, en boudant presque.

Ah! Si elle pouvait les convaincre de venir à la crique avec elle! Ce n'est pas dans ses habitudes de croire aux légendes ou à quoi que ce soit qui ait l'air un peu farfelu.

Mais cette fois-ci, les ressemblances sont trop frappantes entre ce qu'elle a vu en rêve et ce que le guide leur a raconté.

Et si c'était vrai, cette histoire ? Et si c'était pour ce soir, l'apparition du bateau qui ne vient qu'une fois tous les cent ans ? Et si ce n'est pas vrai, pourquoi aurait-elle rêvé tout ça ?

Il fait nuit. La brume couvre le paysage. Décidée, Agnès enfile son blouson.

— Mais, où vas-tu ? s'exclame Jocelyne.

— Je vais en avoir le coeur net, répond Agnès, qui sort.

***

Agnès avance lentement, ses bas rouges dans ses poches et ses chaussures attachées à son cou.

Ses pieds nus s'enfoncent dans le sable froid de la plage.

Parfois un rayon de lune perce la brume et éclaire le sol.

Il vente un peu. Des crabes s'écartent sur le passage d'Agnès.

Des vagues viennent mouiller le bas de son jeans au moment où elle aperçoit le morceau de bois entouré d'une chaîne.

Elle grimpe pour la deuxième fois aujourd'hui sur le rocher qui surplombe la crique.

Et elle entend soudain un grand cri:

— Agnèèèèèèèèès! Attends-nous!

Elle se retourne et voit Jocelyne, John et Notdog qui arrivent en courant. Essoufflés, ils gravissent le rocher.

— Alors, vous avez décidé de me croire? dit Agnès, sourire en coin.

C'est Jocelyne qui répond:

— Euh, oui et non, euh, on s'est dit qu'on ne pouvait pas te laisser aller toute seule, qu'il pourrait y avoir du danger...

— Mais non, ils étaient gentils...

— Dans ton rêve, on le sait. Dans la réalité, ça peut être différent, l'interrompt John.

Ils grimpent tout en haut du rocher. La crique est tranquille. Il n'y a que des vaguelettes et personne n'est en vue.

Ils descendent. À cet endroit, il n'y a pas de plage de sable. L'eau vient frapper contre de grosses pierres.

Agnès remet ses chaussures pour ne pas se blesser contre les arêtes des pierres. Les enfants sautent d'une roche à l'autre,

jusqu'à ce qu'ils arrivent à l'endroit où l'eau semble la moins profonde.

— Qu'est-ce qu'on fait? demande John.

— Eh bien, on attend, décide Agnès.

Ils s'assoient, regardent l'écume, tendent l'oreille au moindre bruit.

Notdog, qui a horreur de rester assis à ne rien faire, explore les environs. Toujours à la recherche de quelque chose à se mettre sous la dent, il plonge son nez dans tous les trous et les interstices qu'il trouve.

Il manque de se faire pincer le nez par un crabe, pousse un petit cri de douleur en marchant sur un coquillage brisé et s'arrête un brin, histoire de renifler les odeurs dans l'air. C'est alors qu'il aperçoit des objets au fond de l'eau.

«Ça m'a tout l'air de boîtes, pense-t-il. Peut-être qu'il y a quelque chose comme des chips là-dedans...»

Il saute à l'eau pour aller voir de plus près.

— Notdog! Qu'est-ce que tu fais? crie sa maîtresse.

Notdog suit sa curiosité ou son estomac, c'est selon.

— Hé! Regardez! Il plonge sous l'eau, s'écrie Agnès.

— Allons-y, décide Jocelyne.

Les inséparables s'approchent. Notdog sort de l'eau, respire, replonge.

John enlève ses chaussures, relève son jeans, entre dans l'eau. Lorsqu'il atteint Notdog, l'eau lui arrive presque à la hauteur du nombril.

— C'est gelé! crie-t-il.

— Ce que Notdog a trouvé? demande Agnès.

— Non, l'eau!

John aperçoit des caisses. Pressé de revenir sur la plage, il tire de toutes ses forces sur le couvercle de l'une d'elles. Il doit sortir ses mains de l'eau une minute pour souffler dessus et les réchauffer, puis il répète l'opération.

Il commence à avoir des crampes dans les orteils, mais la curiosité l'emporte sur son besoin de chaleur. Il réussit enfin à ouvrir une caisse.

— Alors? questionne Jocelyne.

John émet un long sifflement:

— Des bouteilles d'alcool!

Il parvient à ouvrir une autre caisse:

— Encore!

John sort quelques bouteilles pour les montrer: cognac, vin, apéritif, il y a de tout.

— Je vois au moins dix autres caisses comme ça, annonce John.

Jocelyne analyse alors la situation:

— De l'alcool caché sous l'eau, ça ressemble à de la contrebande. Le mieux à

Qui veut entrer dans la légende ?

faire, c'est d'avertir la police.

Tout le monde est d'accord.

— Si c'est vraiment de la contrebande, les contrebandiers peuvent revenir n'importe quand. Comme cette nuit, déduit Agnès.

— Et même pendant que nous allons chercher la police, enchaîne John.

Donc... Il faut que l'un d'eux surveille les lieux, au cas où il pourrait identifier quelqu'un.

— Je reste, dit Agnès.

Jocelyne lui sourit:

— Tu espères toujours voir arriver ton vaisseau fantôme?

Agnès ne répond pas, mais son silence est éloquent.

— Je crois que ce qu'on a trouvé, c'est encore mieux, non? lâche John en grelottant.

Jocelyne décide de laisser Notdog avec Agnès pendant que John et elle se rendront d'abord au camp puis au poste de police. Son chien est un gardien extraordinaire et il pourra avertir Agnès si quelqu'un arrive.

On décide aussi qu'Agnès se cachera et qu'en aucun cas elle ne devra sortir de sa cachette. Si jamais quelqu'un vient elle ne devra commettre aucune imprudence. Si elle peut voir quelque chose d'où elle est, tant mieux. Sinon, tant pis. Il n'y a pas de risques à prendre avec les malfaiteurs, les inséparables le savent bien, après toutes les enquêtes qu'ils ont menées.

— On fait le plus vite possible, assure Jocelyne en partant.

— Ça va, je n'ai pas peur, répond tranquillement Agnès.

Une heure plus tard, lorsque Jocelyne, John et M. Tibody sont revenus avec la police, il n'y avait plus trace ni de l'alcool ni d'Agnès.

Seul Notdog attendait sur son rocher. Et lorsque Jocelyne lui a demandé où était Agnès, il n'a pu qu'aller au bord de l'eau en geignant.

Chapitre V
Des individus louches louchent vers la crique

L'interrogatoire fut long et pénible. John et Jocelyne avaient l'impression que les policiers ne les croyaient pas. Après tout, il n'y avait aucune trace de l'alcool.

Mais il n'y avait aucune trace d'Agnès non plus.

Il allait falloir avertir ses parents.

Et attendre.

Jocelyne n'a pas dormi. Cachée dans son sac de couchage, elle pleure tout doucement la disparition de son amie.

Complètement épuisé, John a trouvé le sommeil. Mais sa nuit fut très agitée, peuplée de cauchemars dus en grande partie à la fièvre. Il a attrapé un bon rhume.

Chacun de son côté, ils se disent la même

chose: on ne va pas rester ici à ne rien faire.

John se lève, s'habille, sort de sa tente. Il est immédiatement entouré de tous les élèves qui le pressent de questions: «C'est vrai que tu as failli te noyer? Penses-tu qu'Agnès a été enlevée par des pirates? Elle a peut-être été dévorée par des piranhas? Est-ce que les poissons étaient soûls à cause de l'alcool? Dis-moi, qu'est-ce que tu as vu au juste?»

La dernière question, c'est Pierre Laroche qui l'a posée. John est tiraillé entre l'envie de raconter son histoire et la lassitude d'avoir à la répéter pour la centième fois. Les policiers l'ont longuement questionné, afin qu'il se rappelle tous les détails, aussi minimes soient-ils. Une piste importante se cache souvent derrière ce qui paraît insignifiant.

Pierre Laroche s'approche de John, lui tend un kleenex, lui sourit gentiment.

John, alors, lui raconte toute l'histoire. Le géologue écoute attentivement.

— C'est tout ce que tu as vu?

John l'assure que oui.

— Et Jocelyne? demande Pierre Laroche.

— Jocelyne aussi.

— Ça ne nous donne pas beaucoup d'indices, soupire le géologue.

— Non, murmure John, las.

Pierre Laroche lui tape amicalement l'épaule:

— Écoute, John, si je peux vous aider en quoi que ce soit... Je connais plein d'autres légendes, je sais que ça vous intéresse... Enfin. Faites-moi signe, je reste ici toute la journée.

Car la journée se passera comme prévu. Ainsi en ont décidé M. Tibody et Mme Gingrouille, avec l'espoir d'occuper un peu les esprits excités. Le voyage sera cependant écourté, et le groupe repartira le lendemain.

Finalement, John réussit à s'éloigner et arrive à la tente de Jocelyne. Il ouvre la fermeture éclair, entre. Jocelyne est toujours dans son sac de couchage, collée à Notdog. Il s'agenouille près d'elle.

— Tu es réveillée?

— Hum, hum.

— Ce serait si facile si Notdog pouvait parler...

— Oui.

— Euh, tu sais, on repart demain.

En une microseconde, Jocelyne sort de son sac et s'assoit:

— Quoi?! Mais on ne peut pas partir! On doit retrouver Agnès!

De grosses larmes roulent sur ses joues.

— Je suis d'accord, Jo. Et on n'a même pas vingt-quatre heures pour y arriver.

Jocelyne saute sur ses pieds.

— Par où commence-t-on?

— Par retourner au cirque?

Jocelyne sourit enfin:

— À la crique, John, pas au cirque. Allons-y.

Pour la troisième fois, John et Jocelyne

se rendent à la crique. Ils n'ont pas grand espoir de trouver des traces, puisque la police a passé l'endroit au peigne fin. Mais quoi faire d'autre?

Du haut du rocher qui surplombe la crique, le spectacle est toujours le même.

À un détail près: un homme se promène sur les rochers, visiblement à la recherche de quelque chose.

Prudents, les deux inséparables se cachent dès qu'ils l'aperçoivent. Ils l'observent.

L'homme est âgé. Il ne lui reste que quelques touffes de cheveux sur la tête, une de chaque côté des oreilles et une sur le haut du crâne.

Il est habillé de vêtements assez disparates et il traîne avec lui un sac de cuir.

L'homme s'étend sur une pierre, allonge le haut de son corps au-dessus de l'eau. Il y plonge son long bâton et en remue le fond.

— Il cherche quelque chose, dit John.

— Oui, au même endroit où étaient cachées les caisses d'alcool, observe Jocelyne.

L'homme se relève, fait quelques pas, se penche, plonge son bras entre deux pierres, met dans son sac un objet que les enfants ne peuvent pas voir.

Il se retourne, introduit son bâton dans plusieurs fentes et trous, puis, s'appuyant sur son bâton, il disparaît de l'autre côté de la crique.

— On le suit! décide Jocelyne.

Et elle s'élance à la poursuite de l'homme, sautant d'une pierre à l'autre avec tant d'agilité qu'on la dirait née sur une roche. Notdog la suit gaiement et John fonce à son tour.

Mais ils n'ont franchi qu'une courte distance lorsqu'une grosse voix leur crie:

— Qu'est-ce que vous faites là?

Jocelyne et John se retournent. Notdog se met à japper. Devant eux se dresse une sorte de géant en imperméable jaune, qui empeste le poisson mort.

L'homme ne dit pas un mot. Il attend une réponse. Jocelyne balbutie:

— Euh, on est venus pour voir... euh...

— Pour voir quoi? L'endroit de l'enlèvement? Les enfants sont tous pareils: curieux comme des singes. Et pas peureux...

En disant cela, un drôle de sourire apparaît sur le visage du géant. Il continue:

— Et si on vous enlève vous aussi? Hum?

John et Jocelyne échangent un regard inquiet.

— On n'a rien fait, bredouille John d'une voix faible.

L'homme part à rire:

— Ah, ah! Je vous ai fait peur, hein? Je me présente, Laurent D'Eau, pêcheur.

Il leur tend la main.

Soulagés, John et Jocelyne écoutent Laurent D'Eau leur expliquer qu'il est le meilleur pêcheur et navigateur de toute la région. Qu'il est lui aussi curieux comme un singe et qu'après avoir eu vent de l'histoire de l'enlèvement, il est venu examiner les lieux.

— On ne sait jamais, euh, je pourrais être utile à l'enquête, oui, c'est ça, utile à l'enquête, car je connais ces eaux comme personne. À présent, rentrez vite chez vous.

Laurent D'Eau s'éloigne, se retourne soudain:

— Mais, dites donc, c'est où, chez vous? Je ne vous ai jamais vus par ici, vous deux.

— On est avec le groupe d'élèves qui campent.

Le pêcheur se rapproche, vivement intéressé:

— Ah oui? Alors vous connaissez la fille qui a été enlevée? Et ceux qui étaient avec elle, hier?

— C'est nous qui...

— Oui, oui, on les connaît, ils sont au campement, l'interrompt John.

Il saisit le bras de Jocelyne:

— Viens, Jo, les profs doivent se demander où nous sommes, ça fait trop longtemps qu'on est partis. Viens, Notdog.

Il salue Laurent D'Eau en entraînant Jocelyne.

Une fois hors de la vue du pêcheur, Jocelyne s'arrête net:

— Qu'est-ce qui t'a pris de lui mentir comme ça?

— C'est à cause de sa manière de nous regarder.

— Qu'est-ce qu'elle avait sa manière?

— Elle m'a donné des frisous.

— Des frissons, John, on dit des frissons.

Chapitre VI
Notdog fait
son tour de piste

John, Jocelyne et Notdog ne sont pas retournés au campement, comme John l'a prétendu. Pas question de perdre des minutes précieuses. Ils se sont tout simplement cachés dans un petit boisé, le temps d'avoir la voie libre.

— Quand il nous a surpris, il était derrière nous. Ce qui veut dire qu'il est venu par la plage comme nous. Il va nécessairement s'en retourner par ici, déduit Jocelyne.

Mais le temps passe et pas de trace de Laurent D'Eau. John décide d'aller en éclaireur voir s'il est encore à la crique. Et si oui, ce qu'il peut bien y faire.

Prudemment, il marche dans le boisé. Puis, lorsqu'il doit s'avancer sur la plage, il court et se cache derrière chaque amoncellement de pierres qu'il rencontre.

Il tend l'oreille. Pas de bruit. Pas de voix. Que le vent et les vagues.

Il grimpe sur le rocher. Au sommet il hésite: «Si je me lève pour voir, je risque d'être vu. Ça pourrait être dangereux», pense-t-il.

John prend une grande respiration, lève la tête.

Laurent D'Eau est dans l'eau, jusqu'aux cuisses. À l'endroit même où se trouvaient les caisses d'alcool.

Le pêcheur revient enfin sur la terre ferme et, sans même avoir l'air mal à l'aise dans ses vêtements mouillés, il rebrousse chemin. John détale comme un lapin et atteint le boisé juste au moment où Laurent D'Eau surgit au haut du rocher.

Il le descend et, arrivé au bas, il le contourne, pour ressurgir dans une barque. Il démarre et disparaît vite de la vue des deux inséparables.

— Lui aussi cherchait à l'endroit où étaient les caisses d'alcool, apprend John à Jocelyne.

— Sauf qu'il faudrait être un poisson pour réussir à le suivre, dit Jocelyne.

Qui veut entrer dans la légende ?

Ils décident donc de retrouver le vieil homme aperçu avant l'arrivée de Laurent D'Eau.

Ils longent le rivage. De l'autre côté de la crique, ils grimpent quelques rochers. Un nouveau paysage s'offre à eux: une plage semblable à celle qu'ils ont foulée plusieurs fois, et une forêt de grands pins. Pas de route, pas de chemin, pas de sentier et, surtout, pas âme qui vive.

John, Jocelyne et Notdog suivent le bord de mer. L'homme a marché dans l'eau, car il n'y a aucune trace de ses pas.

Découragée, Jocelyne se laisse tomber sur le sable.

— On ne la retrouvera jamais, soupire-t-elle.

Elle attire son chien vers elle:

— Toi, tu ne pourrais pas nous aider un peu? On cherche Agnès, A-gnès! Tu comprends?

Notdog jappe.

Bien sûr qu'il comprend. Et pour faire plaisir à sa maîtresse il est prêt à chercher n'importe quoi, même un vieux chat plein de puces.

«Je veux bien t'aider, mais je ne me souviens pas exactement de l'odeur d'Agnès», pense Notdog en geignant.

Il pose sa patte sur le bras de Jocelyne.

— Oui, oui, je t'aime, tu es un bon chien, dit-elle, distraite.

«Comment lui faire comprendre que je dois sentir un objet qui ait son odeur pour la chercher?» se demande le chien le plus laid du village, peut-être, mais certainement pas le plus nono.

Il se met à tourner autour d'elle en reniflant le sol.

— Il sent quelque chose! dit John.

Mais Notdog s'assoit. Il pose la patte sur le bras de Jocelyne encore une fois.

— Non, il ne sent rien, il s'est arrêté. On dirait qu'il veut me dire quelque chose.

Notdog saute sur elle, la sent partout.

— Qu'est-ce que tu fais?

Jocelyne tombe à la renverse. Et alors dépasse d'une des poches de son blouson le petit foulard qu'Agnès lui avait donné pour s'essuyer les mains la veille.

— Le foulard d'Agnès! Je l'avais oublié!

Elle le tend à Notdog qui le flaire:

— Cherche Agnès, Notdog, cherche.

«Elle a enfin compris», pense son chien. Il colle son nez au sol, marche en zigzaguant pour couvrir le plus de terrain possible. Il va d'un côté, revient vers Jocelyne, retourne, revient.

— Il ne sent rien, dit Jocelyne.

Elle se lève.

Notdog cherche encore, par principe. Il ne trouve pas. Mais en arrivant à la hauteur de deux pins immenses, quelque chose lui chatouille le nez. Il aboie, s'élance.

Une demi-seconde plus tard, John et Jocelyne le suivent de près.

Ils courent sur un sentier très étroit, visiblement fort peu utilisé. Ils s'enfoncent dans la forêt, où les milliers d'aiguilles de pin tombées par terre rendent le sol très glissant.

Le museau frôlant la terre, Notdog suit une piste. Il s'arrête, hume l'air. En même temps que lui, Jocelyne et John perçoivent l'odeur d'un feu de bois.

Cent cinquante mètres plus loin, ils découvrent une cabane de bois. À côté de la porte, ils aperçoivent un bâton appuyé au mur et un sac de cuir ouvert. Notdog fait trois bonds, sent le sac, agite la queue, tout content.

«J'ai trouvé», semble-t-il dire.

John se tourne vers Jocelyne:

Qui veut entrer dans la légende ?

— Agnès est petite, mais pas assez pour entrer dans une caboche...

— Sacoche, John, une sacoche.

Soudain, une porte grince. John et Jocelyne se cachent derrière les arbres. Le vieil homme aperçu dans la crique sort de la maison:

— Tu es perdu vrai, toi! Qu'est-ce que tu veux? Va-t'en! Il n'y a rien à manger là-dedans.

L'homme repousse Notdog qui revient vers le sac.

— Je te dis qu'il n'y a rien dans le sac. Regarde.

Et il en sort une paire de bas. Les bas rouges qu'Agnès transportait dans ses poches la veille.

Chapitre VII

Un homme affable ou un homme à fables?

D'une voix à peine audible, Jocelyne murmure à l'oreille de John:

— Ça fait au moins trois jours qu'Agnès porte ces bas-là dans ses souliers de course. Ça doit sentir assez fort merci!

Ce n'était qu'un chuchotement. Pourtant, le vieil homme, l'oreille habituée au moindre petit craquement de la forêt, l'a entendu.

— Qui est là? Sors de ta cachette!

John et Jocelyne se taisent, se cachent encore mieux.

Notdog, inquiet de ne pas voir sa maîtresse, s'élance vers eux. Mais avec une agilité surprenante pour son âge, l'homme l'attrape par le collier.

— Hé! Si vous voulez votre chien, faudra venir le chercher... ricane-t-il.

Jocelyne a un coup au coeur; jamais elle n'abandonnera son chien.

L'homme crie:

— N'ayez pas peur, je ne vous mangerai pas.

Hésitants, méfiants, John et Jocelyne se montrent, s'approchent. L'homme lâche Notdog qui se colle contre Jocelyne et lui donne la patte.

— C'est à toi ce chien-là? C'est quelle race au juste?

— Un mélange.

— Hum. Ça, c'est évident, mais est-ce un mélange de chiens? demande l'homme, moqueur.

Jocelyne proteste:

— Bien, vous saurez que, pour moi, il est le plus beau des chiens!

— C'était une blague, excuse-moi. Je me présente: Jay Laliberté, ermite. Mais venez donc dans mon château.

John, Jocelyne et Notdog le suivent dans sa cabane. Il ne serait jamais venu à l'esprit des enfants d'appeler cette baraque un château. Le mobilier y est des plus rudimentaires, une chaise, un matelas par terre, une table aux multiples couleurs, autant de couches de peinture écaillée.

Sur un petit réchaud, il met de l'eau à bouillir et offre du café aux enfants, qui refusent. Il s'en fera pour lui tout seul.

— Alors, que faites-vous par ici?

Jocelyne répond par une question:

— Où avez-vous trouvé les bas rouges qui étaient dans votre sac?

— Mon Dieu! Une chance que ton chien a voulu fourrer son nez dedans, car je les avais complètement oubliés. Si je les avais laissés là trop longtemps, ça n'aurait pas senti trop trop bon... C'est à toi?

— Non. À une amie.

— Je les ai trouvés entre deux pierres, à la crique.

John prend la parole:

— Que faisiez-vous là?

— Ho, ho! Mais c'est un interrogatoire en règle! J'espère qu'on ne me mettra pas en prison pour le vol d'une paire de bas rouges sales...

Et Jay Laliberté part à rire. Il change tout à coup de sujet:

— Vous vous intéressez aux fossiles? Oui? Non? Vous savez ce que c'est? De très vieilles empreintes de la vie. Plus

Qui veut entrer dans la légende ?

vieilles que moi qui ai pourtant l'air d'avoir mille ans. Dites, quel âge me donnez-vous? Hum? Parce que si vous me dites cinq cents, ça me fera drôlement plaisir, vu que j'en ai seulement six cents. Hum? Je suis coquet, hé oui!

«Ça y est, on est tombés sur un vieux fou», pense John.

Le vieux Laliberté met trois grosses cuillérées de café instantané dans une tasse, verse de l'eau bouillante, brasse. Il goûte:

— Encore trop faible. Mais dites-moi, votre amie aux bas, disons, odorants, elle doit les chercher, non? Elle n'est pas avec vous?

Jocelyne est heureuse qu'il revienne sur le sujet:

— Non, vous ne l'avez pas vue, par hasard?

— Moi? Non, non, non, je ne vois jamais personne. Et si par malheur j'aperçois quelqu'un au loin je fais demi-tour. Pourquoi? Vous l'avez perdue?

John répond:

— Oui, elle a disparu.

Jay Laliberté n'en revient pas:

— Disparu! Une disparition par ici? Mon Dieu, mon Dieu, mon Dieu! Euh...

Elle a disparu où au juste?

— Dans la crique, hier soir, dit Joce-lyne.

Le vieil homme se lève d'un bond, échappant du café sur son manteau d'une propreté douteuse:

— La crique! Mais, mais, mais, c'est sûrement le vaisseau fantôme qui l'a emportée! Vous connaissez la légende? Oui? Alors vous n'êtes pas sans savoir qu'il vient tous les cent ans. Et selon mes calculs et l'analyse des témoignages, j'en suis venu à conclure que le bateau doit revenir ces jours-ci! Euh... Elle était seule, votre amie?

— Oui, répond John.

— Alors pas de doute. Le vaisseau n'est jamais apparu à plus d'une personne à la fois. Je suis certain que c'est lui. Ah malheur! Votre amie est partie pour cent ans!

Jocelyne profite d'un instant où Jay Laliberté doit reprendre son souffle:

— Elle a peut-être été enlevée par les contrebandiers.

— Les qui? Contrebandiers, dis-tu? Jamais entendu parler.

Le vieil homme se retourne rapidement, va vers une armoire en disant qu'il devrait bien y avoir là-dedans quelque biscuit qu'il pourrait donner à Notdog.

C'est au tour de John de lui poser une question:

— Qu'est-ce que vous étiez en train de chercher avec votre bâton dans l'eau?

Jay Laliberté feint de ne rien entendre. John se rapproche, pose de nouveau sa question.

— Dans l'eau, euh, oui, je cherche, euh, des traces de fossiles. Ils me croient fou, mais ils verront bien quand j'aurai trouvé la preuve du passage de l'homme avant l'ère glaciaire. Ah! Voilà des biscuits.

Machinalement, John jette un coup d'oeil dans l'armoire. Sur une des étagères s'alignent plusieurs bouteilles d'alcool. Pareilles à celles que John a vues dans l'eau.

Jay Laliberté referme l'armoire et, prétextant ses recherches, il met tout le monde dehors.

Chapitre VIII
Les murs ont des orteils

Au campement, tout le monde approche John et Jocelyne avec curiosité et envie. Chacun au-dedans se demande pourquoi cette aventure ne lui est pas arrivée à lui. Cependant, personne ne voudrait être à la place d'Agnès, où qu'elle soit.

Les profs sont particulièrement gentils avec les deux inséparables. De fait, si John et Jocelyne étaient capricieux, ils auraient beaucoup de facilité à leur faire faire leurs quatre volontés. Mais John et Jocelyne n'ont pas de temps à perdre avec ces jeux-là.

Ils se sont fait demander cent fois: «Ça va? On peut faire quelque chose pour vous? Vous avez faim? Soif? Vous voulez un beigne? Un carré aux dattes? Un jus de raisin? De la gomme?»

Mais ils ont fini par avoir ce qu'ils désiraient le plus: la paix. Rester seuls pour discuter. Assis par terre dans la tente de Jocelyne, les inséparables mangent des crêpes avec de la mélasse.

John prend une gorgée de lait:

— Laliberté ment comme il transpire.

— Respire, John, il ment comme il respire, pas comme il transpire, le corrige Jocelyne.

Un moment, les deux deviennent très émus en pensant que, d'habitude, c'est Agnès qui reprend John.

— C'est vrai que l'alcool dans l'armoire de Laliberté n'est pas tombé du ciel, admet Jocelyne.

Elle joue avec sa nourriture sans vraiment manger:

— Il était bien pressé de se débarrasser de nous.

— À mon avis, Laurent D'Eau, le pêcheur, joue aussi un rôle là-dedans. Sinon qu'est-ce qu'il cherchait dans l'eau, à la crique? Et puis, tu l'as cru quand il a dit qu'il voulait être utile à l'enquête?

— Non: lui aussi était bien pressé de nous voir partir.

— Peut-être qu'il s'assurait qu'aucun de ses complices n'avait laissé de trace, dit John, en prenant une bouchée.

— Logiquement, Agnès a dû voir les contrebandiers venir chercher l'alcool caché dans l'eau. Et ils l'ont emmenée. Je suis certaine qu'un de ces deux-là sait quelque chose, sinon les deux. Et puis...

John interrompt Jocelyne en mettant son index devant sa bouche. Il vient tout juste d'apercevoir deux pieds immobiles à l'extérieur de la tente.

Il se lève silencieusement, s'avance, écarte vivement la porte moustiquaire.

Pierre Laroche lui décoche un large sourire.

— Salut! Je venais vous demander si vous voulez participer à une cueillette de champignons.

— Non.

— Bon, bon.

Le géologue s'éloigne, s'arrête, se retourne:

— Euh, je n'ai pas pu faire autrement qu'entendre une partie de votre conversation. Si je peux vous donner un conseil, ne vous mêlez pas de cette histoire de contrebande. Ça peut être très dangereux. Laissez la police faire son enquête.

— Merci du conseil.

John s'en retourne dans la tente, décidé à passer outre à l'avertissement de Pierre Laroche. Il a à peine le temps de dire «maintenant» à Jocelyne que Laroche surgit de nouveau. Penché en avant, il entre dans la tente:

— Comme je suis persuadé que vous n'écouterez pas mon conseil, j'ai décidé de me joindre à vous et de vous donner un coup de main. Comme ça je pourrai vous protéger. D'accord?

Bien sûr, Jocelyne et John ne sont pas d'accord. Mais lorsqu'un adulte a pris la décision de vous protéger, à quoi bon s'obstiner? La seule manière de s'en débarrasser serait de le semer. Sauf que Pierre Laroche a l'air bien décidé à ne pas les quitter d'une semelle.

***

— Si vous dites vrai sur Laliberté, la police n'aura qu'à venir le cueillir, affirme Laroche.

Lui, John, Jocelyne et Notdog se dirigent vers la maison de l'ermite. Le géologue a voulu vérifier lui-même les dires des inséparables. Car Laliberté est peut-être un vieux fou, mais Laroche l'aime bien. Et il a de la difficulté à le croire coupable de quoi que ce soit.

La porte de la baraque est ouverte, et une odeur de café flotte dans l'air. Pierre Laroche appelle:

— You-hou! Jay! Es-tu là?

De la maison on entend:

— Enfin! Je commençais à me demander si...

Laliberté s'arrête net une fois arrivé sur le pas de la porte.

— Mais, qu'est-ce que...?

— Petite visite de courtoisie, vieux. On peut entrer?

Pierre Laroche invite les enfants à pénétrer dans la maison. «Avec un trop large sourire», pense John, «... qui n'annonce rien de bon», pense Jocelyne.

Ils se regardent et en une microseconde prennent la même décision: se sauver à toutes jambes.

Ils bondissent vers le bois. Pierre Laroche s'élance à leur poursuite. Mais bien vite Laliberté lui crie:

— Ce n'est pas la peine de courir! Ils

Qui veut entrer dans la légende ?

vont revenir.

Et il crie encore plus fort:

— Si vous voulez revoir votre chien vivant, il vaudrait mieux faire demi-tour!

Pierre Laroche se retourne et aperçoit Jay Laliberté tenir par le collier Notdog, qui essaie désespérément de lui faire lâcher prise.

— Ça a marché une fois, ça va marcher encore, dit le vieux.

Et il a raison. Car Jocelyne revient, suivie de John.

— Les enfants mourraient pour leur chien, dit Laliberté.

Pierre Laroche les pousse dans la maison:

— La loyauté est un bien noble sentiment. Mais vous allez peut-être le regretter, ricane-t-il.

Chapitre IX

Au clair de la lune, mon ami Pierrot, prête-moi ta plume pour écrire un faux mot

Pierre Laroche est assis sur une chaise branlante, les deux pieds appuyés sur la table.

— Voyez-vous, vous me causez un grand problème. Je ne peux pas vous renvoyer au camp; mais on va bientôt s'apercevoir de votre disparition. Fatalement la police va revenir par ici, je veux dire à la crique, où votre amie a disparu et...

— Où est-elle? réussit à crier Jocelyne à travers le bâillon qui l'empêche de parler.

— Où? Mais je ne sais pas. Elle est probablement avec Lolo. Tu crois qu'elle est avec Lolo, Jay?

— Sûrement. Pauvre petite, enlevée par le vaisseau fantôme! Hi hi! C'est ce que je leur ai dit. Pas pire, non? Remarquez qu'elle a quand même eu droit à une grosse surprise: Lolo. Un des rares marins capables de piloter un bateau dans cette crique. Il a emporté toute la cargaison sans laisser de trace.

«Lolo: ce doit être le surnom de Laurent D'Eau! Je le savais qu'il était dans le coup!» pense John.

Pierre Laroche remarque:

— Il a laissé une trace: les bas de la fille.

D'un geste de la main, Laliberté balaye l'air, indiquant ainsi qu'il n'accorde aucune importance à ce détail:

— Je les ai trouvés, alors...

— Mais tu as eu l'imprudence de mettre des bouteilles dans ton armoire; et nous voilà pris avec ces deux fouineurs-là. Ce sera donc à toi de nous en débarrasser, décide le géologue.

— Moi? Je veux bien faire un peu de contrebande mais de là à... à...

— C'est ta faute. Nous réglerons ça plus

tard. Il faut penser à l'opération de ce soir.

Pierre Laroche se tourne vers les enfants, comme s'il leur devait une explication.

— Quelques caisses à apporter à la crique, que Lolo doit venir chercher. Les dernières. Et après, on file dans une île du Sud avec un beau petit magot. Mais il y a vous...

— Et la police, ajoute Jay.

En plus d'être bâillonnés, John et Jocelyne ont les mains liées dans le dos. Notdog a été attaché à une chaise avec une laisse de fortune.

«Agnès est prisonnière de leur complice. Et nous, d'eux. Qu'est-ce qui va nous arriver?» se demande Jocelyne. Qui, malgré tout, ne regrette pas d'être revenue vers son chien.

«Cette fois-ci, je ne vois pas comment on pourra s'en sortir», se dit John. Qui pense que, s'ils avaient continué à courir et avaient averti la police, ils ne seraient pas prisonniers ici.

L'ermite offre un café au géologue.

— Jamais de la vie! Il goûte le vieux pneu fondu, ton café!

Pierre Laroche se lève, fait quelques pas, va vers la fenêtre, regarde dehors, réfléchit.

— J'ai dit aux profs que j'emmenais ces deux-là en exploration pour l'après-midi, histoire de leur changer les idées. Ils ne s'inquiéteront donc pas avant un bout de temps. Il faut trouver un moyen de se débarrasser de la police avant qu'ils ne signalent leur disparition.

— Bonne chance! T'es mieux d'écrire au père Noël pour qu'il t'envoie une idée! lance l'ermite, sarcastique.

Pierre Laroche se retourne, sourit à Jay.

— Tu es un génie, Jay!

— Moi? Comment ça?

Le géologue va chercher sur un comptoir du papier et un crayon. Il les dépose sur la table, puis détache les mains de Jocelyne. Il la fait asseoir à la table.

— On va écrire, ma belle. Mais pas au père Noël. À la police. En fait, c'est ton amie qui va écrire à la police. Tiens. Écris.

Jocelyne saisit le crayon, attend. Pierre Laroche lui dicte le texte suivant:

Je suis saine et sauve. Je serai relâchée au village de X, à dix-neuf heures ce soir. Ne tentez rien contre mes ravisseurs.
Agnès

Le géologue arrache la feuille des mains de Jocelyne. Il vérifie qu'elle n'a rien écrit qui pourrait éveiller les soupçons des policiers.

— Une belle écriture enfantine. Les policiers ne peuvent se permettre de ne pas vérifier. Ils iront se poster au village de X dès qu'ils recevront ce mot.

Jay sourit:

— C'est à trente kilomètres. Et à dix-neuf heures, on aura fini notre petite opération.

— Et on sera partis. J'y vais.

— Tu vas où?

— Porter le mot.

— Mais ils vont te demander d'où il vient.

— Je leur dirai que je l'ai trouvé coincé sous les essuie-glaces de ma jeep. Après tout, je suis animateur au camp. Personne ne se méfiera.

— Et les enfants? Ils vont te demander où ils sont.

— Oups. Tu as raison.

Laroche réfléchit:

— Jay, c'est toi qui vas aller porter le mot.

— Moi?!

— Oui, toi. Tu leur diras qu'une grosse

voiture s'est arrêtée près de toi, sur la route, et qu'un inconnu t'a demandé d'aller porter ça à la police. Tu leur raconteras n'importe quoi. C'est ta spécialité, les mensonges.

— Ouais. Je te garantis qu'ils ne nous trouveront pas, ricane Jay Laliberté.

«Et ils ne nous trouveront pas non plus», pense Jocelyne.

De son côté, John se demande: «Qu'est-ce qu'ils vont faire de nous? Nous élimer?»

Évidemment, il veut dire éliminer.

Chapitre X
Faut-il croire
aux légendes?

Au village de X, les policiers attendent l'heure fixée pour la libération d'Agnès.

Sa fausse libération.

Ils ont aussi diffusé la description de l'auto rouge avec un Garfield collé dans une vitre, que Jay Laliberté leur a donnée.

Une fausse déclaration.

Dans une des voitures, les parents d'Agnès, tout juste arrivés, ont peine à contenir leur nervosité. Les yeux rougis par les larmes de l'inquiétude, ils prient le ciel que leur fille leur soit rendue saine et sauve.

Au campement, les élèves font leurs bagages: le départ est fixé pour six heures le lendemain matin. Les profs se promènent d'une tente à l'autre, vérifiant que rien n'a été oublié. Et ils commencent à se demander sérieusement où peuvent bien être Pierre Laroche, John et Jocelyne.

Ils parlent d'aller voir la police, mais la police est loin. Au village de X.

À la crique, Jocelyne, John, Notdog, Jay Laliberté et Pierre Laroche attendent le complice surnommé Lolo.

Les deux inséparables ont dû aider les hommes à transporter les dernières caisses d'alcool. Même Notdog a été mis à contribution, car on lui a fait tirer le baluchon de l'ermite.

Le vent s'est levé, l'entrée d'un bateau dans la crique s'annonce difficile.

Un moteur se fait entendre. Une très grande chaloupe s'engage dans la crique.

Elle avance lentement, prudemment, s'arrête presque parfois. Elle change de cap pour couper les vagues, évitant qu'elles ne la poussent vers les rochers où elle irait se fracasser. Elle s'approche. S'arrête. Un homme caché sous un imperméable jaune saute à l'eau. Il grimpe vers le groupe qui l'attend.

— Salut! À l'heure, comme toujours! lui dit Jay Laliberté.

Pierre Laroche lui serre la main:

— Tu as bien fait de ne pas essayer de prendre contact avec nous; avec l'enlèvement de la petite, il y a des policiers partout. Mais on s'en est bien débarrassés. Au fait, où est-elle?

L'homme enlève son capuchon:

— Qui ça, elle?

— Ce n'est pas Laurent D'Eau, murmure John.

Pierre Laroche regarde l'homme sans comprendre:

— Elle? La fille qui était là hier soir!

— Quelle fille? demande l'homme.

— Il n'y avait pas de jeune fille quand tu es venu?

— Non.

Jocelyne se met alors à crier:

— Où est Agnès? Qu'est-ce que vous avez fait d'elle? Où est-elle? Menteur! C'est vous qui l'avez enlevée!

Pierre Laroche lui ordonne de se taire, mais Jocelyne crie de plus belle.

Laroche s'approche pour la faire taire de force. Notdog commence à japper et à grogner. Laliberté va le frapper lorsqu'on entend:

— Que personne ne bouge!

Laurent D'Eau apparaît en haut d'un rocher, un fusil à la main.

Il descend, s'avance.

Jocelyne saute sur le dénommé Lolo en lui demandant une fois de plus où est Agnès. Laroche profite de cette seconde de confusion pour allonger le pied et faire trébucher Laurent D'Eau, qui échappe son arme.

Laliberté la saisit, la pointe vers Laurent D'Eau:

— Tu es peut-être un très bon marin, cher Laurent D'Eau, mais tu fais un bien médiocre policier. Qu'est-ce que tu viens faire ici? Et qu'est-ce qu'on va faire de toi, maintenant?

Furieux, Laroche répond:

— On l'embarque avec les enfants. Bon, on charge en vitesse. On est mieux de dé-guerpir.

C'est alors que Jocelyne a l'impression de voir bouger la tête du cheval de pierre.

Que John entend de drôles de sons. Comme des hennissements.

Et que, dans un immense fracas de vagues qui s'entrechoquent, un imposant vaisseau fait son entrée dans la crique.

Pendant une minute, tous sont paralysés, regardant avancer ce qui n'a jamais été vu, mais dont parle la légende.

Laliberté est le premier à recouvrer ses esprits et à tenter de fuir. Mais il est bien vite rattrapé par Notdog qui lui plante solidement ses crocs dans le mollet. Laliberté tombe et échappe son arme, lui aussi.

«Ah! Ah! Je suis aussi rapide que toi! C'est à mon tour de t'attraper, bourreau de chien!» grogne Notdog, pendant que l'ermite hurle de douleur.

Rapide comme un chat, Laurent D'Eau saute sur Lolo qui tentait à son tour d'atteindre sa barque. Il le fait asseoir sur une caisse et l'y attache avec le foulard d'Agnès, que Jocelyne lui tend.

Quant à Pierre Laroche, il file à toutes jambes, gravissant le rocher de la tête du cheval, dans l'espoir de disparaître dans la noirceur de la forêt.

Le navire s'avance, immense.

On entend alors très distinctement le hennissement du cheval guidant le navire. Et tout de suite après, le cri de Pierre Laroche qui déboule du rocher. A-t-il glissé? A-t-il eu peur du hennissement? Personne n'a rien vu. Mais vite Laurent D'Eau va cueillir le géologue qui semble s'être foulé une cheville.

Le vaisseau s'arrête.

Notdog tient toujours Laliberté qui supplie Jocelyne d'ordonner à son chien de le laisser.

Elle accourt.

— Ça suffit, Notdog.

Il lâche prise, et reste là, au cas où l'autre aurait l'idée d'essayer de se sauver de nouveau. Mais il ne le fera pas, car son mollet le fait trop souffrir.

John pousse du pied l'arme qu'a échappée Laliberté jusqu'à Laurent D'Eau.

Sur le bateau, des hommes installent une passerelle. Quelques-uns descendent.

Notdog recommence à japper. Cette fois-ci, de joie. Car c'est lui qui l'a aperçue le premier: Agnès.

À la vue de ses amis, elle descend en courant, se jette dans leurs bras. Elle regarde les hommes attachés ou blessés, les caisses et demande:

— Qu'est-ce qui se passe ici?

Jocelyne saisit son amie par les épaules:

— Ça n'a aucune importance, ce qui se passe ici! Depuis hier qu'on te cherche, on te pensait enlevée par des contrebandiers. À l'heure qu'il est, tes parents t'attendent avec la police dans un autre village, ils sont morts d'inquiétude!

— J'imagine, soupire Agnès, en baissant les yeux.

Plusieurs hommes vont vers les bois, transportant des barils.

— Ils doivent refaire une provision d'eau douce. Venez!

Elle entraîne John et Jocelyne sur le navire. Impressionné, Notdog suit en restant tout près de sa maîtresse. À contrecoeur, Laurent D'Eau reste pour surveiller les bandits.

Les membres d'équipage saluent les enfants sans interrompre leur tâche.

Agnès explique:

— C'est le vaisseau de la légende! Il existe réellement!

— Mais qu'est-ce que tu fais sur ce bateau? demande Jocelyne.

— J'étais là quand ils ont accosté, hier. Ils m'ont vue et m'ont invitée à monter.

— Wow! Mais eux, qu'est-ce qu'ils font ici? dit John.

— Je vais vous montrer, répond Agnès.

Ils descendent un escalier et se retrouvent sur un pont inférieur.

Sous le pont, de l'eau.

Dans l'eau, une douzaine de bélugas.

Jocelyne se fâche:

— Ils n'ont pas le droit de pêcher des bélugas!

Agnès sourit:

— Ils les ont soignés et vont les relâcher après leur départ. Et regardez ici.

Elle leur montre des sacs pleins d'une poudre dorée:

— C'est pour ensemencer le fleuve.

— À quoi bon? Le fleuve est si sale! lance Jocelyne.

Une voix derrière eux répond:

— Nous le faisons depuis toujours. Et nous espérons encore que l'être humain réparera ses erreurs. Qu'il arrêtera de polluer et qu'il fera un bon nettoyage. Nous lui donnons encore cent ans. Si rien n'est fait, eh bien, nous ne reviendrons plus. Et il n'y aura plus jamais de poissons dans ces eaux.

C'est une femme qui parle, aux yeux doux et rieurs. Agnès s'approche d'elle:

— Je vous présente Olan. Elle est la capitaine de ce vaisseau.

Olan les salue:

— Capitaine pour cent ans seulement. Après ce sera un homme. Nous alternons comme ça depuis toujours. Et vous, vous êtes les fameux inséparables. Bienvenue à bord. Malheureusement, il vous faut rentrer chez vous dès maintenant. Car nous devons partir.

— Est-ce que les dieux ne font pas que ce qui leur plaît? remarque Jocelyne.

Olan rit:

— Les dieux, oui. Les demi-dieux, c'est autre chose. Nous avons un horaire à suivre nous aussi. La même chose tous les cent ans. C'est écrit dans notre contrat.

— Un contrat avec qui? lui demande Agnès.

— Avec Dieux, Légendes et Associés. Allez maintenant, vite. On va être en retard.

Les inséparables remontent à contre-coeur. Ils vont vers la passerelle. Notdog, qui n'a pas trop trop le pied marin, est tout content de filer vers la terre ferme. Jocelyne le suit, puis c'est John qui s'engage. Mais Agnès reste là.

Une fois sur la berge, Jocelyne se retourne et voit son amie sur le bateau. Elle remonte en courant.

— Viens vite!

Agnès ne bouge pas:

Qui veut entrer dans la légende ?

— Je veux rester ici. Je veux partir avec eux.

— Mais voyons, Agnès! Et nous? Et tes parents? Tu voudrais nous abandonner comme ça?

Olan s'approche d'Agnès:

— Tu peux venir si tu veux. Mais sache que tu ne reviendras pas chez toi avant cent ans.

Agnès ne dit rien.

— Il faut te décider tout de suite. Nous partons.

Agnès hésite. C'est si attirant, l'aventure, l'inconnu. Puis:

— Cent ans, c'est long...

— Très long. Surtout loin de ceux que tu aimes, ajoute Olan.

Jocelyne se précipite vers la berge:

— Cent ans, Agnès... lui répète-t-elle en s'éloignant.

Agnès se tourne vers Olan:

— Eh bien, je reste ici finalement.

Olan lui sourit.

Agnès s'élance et, dès qu'elle a mis le pied à terre, la passerelle est retirée.

Lentement le bateau commence à glisser sur l'eau, pour disparaître peu à peu dans la nuit qui tombe tout doucement.

Chapitre XI
La fin rêvée

C'est encore la nuit. Une brume épaisse recouvre le paysage. Parfois, un rayon de lune arrive à percer cette brume, alors qu'à l'horizon une faible lumière annonce timidement l'arrivée prochaine du soleil.

Le vent se lève. Mais ni Agnès, ni Jocelyne, ni John, ni Laurent D'Eau, et surtout pas Notdog, n'ont froid. La barque qui les transporte s'avance lentement, prudemment, dans le même passage que celui suivi par le vaisseau de la légende.

Les cheveux mouillés par la vapeur d'eau, les yeux encore tout pleins du trop court sommeil de la nuit, les inséparables font une dernière visite à cette crique où ils ont connu tant d'émotions.

Laurent D'Eau leur a offert de les y amener en bateau, lui qui, avec Lolo, est un des rares navigateurs à pouvoir s'aventurer à cet endroit. Et lui qui, avec Agnès, était un des seuls à croire à la légende du grand navire étranger qui vient tous les cent ans.

Jocelyne avait raison: Laurent D'Eau n'était pas à la crique la veille pour aider à l'enquête; il était là parce qu'il attendait le vaisseau.

— Mais qu'est-ce qui vous a fait croire qu'il viendrait hier? lui demande Jocelyne, intriguée.

— Une inscription sur une pierre, répond le marin.

— Laquelle?

— Olan 96.

Agnès rit:

— Je l'ai vue dans mon rêve. Je marchais et j'ai grimpé sur un rocher. En m'agrippant pour ne pas tomber, j'ai touché une inscription dans la pierre: Olan 96. C'est elle qui a gravé son nom. Qui a fait un graffiti lors d'un de ses passages.

— C'était peut-être en 1896, dit Laurent D'Eau.

— Ou en 1296 ou même en 1496,

ajoute Jocelyne.

— Moi, quand je rêve, je ne me souviens jamais des bétails, se plaint John.

Agnès rit:

— Détails, John, pas bétails.

Laurent D'Eau reprend son explication:

— C'est en grimpant, moi aussi, que j'ai vu cette inscription. Et le nom m'a frappé: il était bizarre et inconnu. J'ai regardé les registres des environs et je n'ai trouvé personne de ce nom.

— Il restait la possibilité d'un ou d'une touriste, dit Jocelyne.

— J'y ai pensé mais, pour en avoir le coeur net, j'ai attendu que l'année 1996 arrive, puisque le bateau passe tous les cent ans. Et je suis venu ici chaque jour depuis le mois de janvier.

— Chaque jour! Il faut être persévérant! lance Agnès.

— Ou un peu fou, suggère Laurent D'Eau.

— Toujours armé? demande Jocelyne.

— Eh oui! Comme tous les adultes, j'ai peur de l'inconnu. C'est un peu nono. Mais ça nous a été utile, non?

— Comment ça se fait que vous n'avez jamais vu les contrebandiers?

— Euh, je ne voulais pas qu'on sache que je croyais à une légende, j'aurais eu l'air trop fou. Alors, dès que, de loin, je voyais arriver quelqu'un, je me sauvais. Et je revenais plus tard. Vous savez, je me doutais bien qu'Agnès n'avait pas été enlevée par des contrebandiers, car je n'en avais jamais aperçu. Et puis je voulais tellement voir le vaisseau que rien d'autre n'attirait mon attention.

— J'ai vraiment cru que vous étiez Lolo, votre imper jaune et tout, et... j'ai eu peur de vous, aussi, avoue John.

— Plusieurs navigateurs portent des imperméables jaunes. Et je sais que je suis si grand et si bourru que je fais peur. Pourtant je ne ferais de mal à personne.

La brume se lève. La tête de cheval apparaît, majestueuse, immobile.

Quelque part dans la grande ville la plus proche, une cellule vient d'accueillir Pierre Laroche, Lolo et Jay Laliberté, qui incidemment ne l'aura plus, la liberté, pour un petit bout de temps.

Au campement, on achève de démonter les tentes et on charge les bagages dans un autobus jaune. Les parents d'Agnès prennent un café avec les profs en attendant les inséparables, qu'ils ramèneront dans leur voiture.

À la crique, les rayons du soleil levant font briller les vagues qui vont s'écraser sur les rochers.

Agnès raconte encore une fois sa visite dans le vaisseau à un Laurent D'Eau jaloux.

Son témoignage sera consigné dans les archives de la police et entrera dans la légende.

Certains la croient, la plupart doutent. Car il ne reste aucune trace du vaisseau.

La barque fait demi-tour.

Le soleil est déjà haut.

En s'éloignant, les inséparables se taisent et écoutent. Car ils ont l'impression très nette d'entendre dans le vent l'écho du chant heureux d'un troupeau de bélugas.

Sylvie Desrosiers

LES EXTRATERRESTRES SONT-ILS DES VOLEURS?

Illustrations
de Daniel Sylvestre

la courte échelle

Chapitre I
Le message
au bout du tunnel

Nous sommes à quelques jours de Noël. Il n'y a pas encore de neige, mais ce vingt décembre est froid et humide.

En marchant, Jocelyne relit pour la centième fois le mystérieux message qu'on lui a adressé:

Rends-toi à la rivière aux Renards. Suis-la jusqu'au barrage de castors. Là, attends-moi, samedi à 13 heures. Et surtout, viens seule, sans tes amis. J'ai quelque chose de très important à te dire.
Ton admirateur,
Simon G.

Jocelyne couvre ses belles boucles brunes de son capuchon. Elle a fait comme Simon lui a demandé: elle est venue seule. Enfin pas tout à fait puisque Notdog, le chien le plus laid du village, son chien, trottine auprès d'elle.

Normalement, elle serait accompagnée de ses deux fidèles amis: Agnès, la petite rousse qui porte des broches*, et John, l'Anglais blond à lunettes. Âgés de douze ans tous les trois, ils forment le trio le plus célèbre de la région, surnommé «les inséparables».

Mais si Simon ne veut voir qu'elle...

En longeant la rivière aux Renards, elle songe à l'attitude de Simon Gagné en classe. Il est distant, ne lui parle qu'occasionnellement. Il a pourtant écrit: ton admirateur. Simon serait-il amoureux d'elle? «Il a bien caché son jeu», pense-t-elle.

Elle arrive au barrage de castors. Juste à l'heure. Elle s'assoit et attend.

Elle revoit le spectacle de la veille, donné dans le sous-sol de l'église. Un magicien hollandais, Jean Rhys, a émerveillé toute l'assistance avec ses tours dont per-

* Appareil orthodontique.

100

sonne n'a réussi à percer le secret. Juste
avant la fin, il est venu la chercher, elle,
dans le fond de la salle, pour qu'elle l'accompagne sur scène.

Puis il a fait apparaître pour elle bi-
joux, fleurs, couronne, la transformant
ainsi en reine de la soirée. «C'est vrai
que je devais être très jolie en souveraine.
Ce doit être ce qui a poussé Simon à

m'écrire», se dit Jocelyne. Pourtant, elle ne se souvient pas de l'avoir vu. En même temps, elle commence à penser que, finalement, il est beau et pas mal gentil, Simon Gagné.

À côté d'elle, Notdog explore, flaire les odeurs, fouille le sol de sa grosse truffe mouillée. Jocelyne remarque alors qu'il a perdu sa médaille. Elle se lève, marche un peu pour se réchauffer. Elle écoute, essaie de deviner des pas dans la forêt.

Rien. Après une demi-heure, elle s'impatiente sérieusement. Après quarante-cinq minutes, en colère, elle décide de s'en retourner.

— Il va savoir comment je m'appelle, Simon Gagné!

Elle siffle son chien. Mais il ne la rejoint pas.

— Notdog! Où est-il encore allé... Notdog! Viens!

Elle entend un aboiement sourd.

— Bon! Où est-ce qu'il se cache?

Jocelyne s'avance dans la direction de l'aboiement. Elle cherche, ne voit pas son chien. Elle siffle de nouveau. Un jappement provient d'une ouverture dans la muraille de pierre.

Elle s'y glisse et pénètre dans une grotte bien assez grande pour que cinq ou six adultes puissent y tenir debout.

Un rayon de soleil, si bas à la veille du solstice d'hiver, l'éclaire jusqu'au fond. Notdog agite gaiement la queue. Ne vient-il pas de découvrir un lieu nouveau? «Ça va sûrement me rapporter au moins quatre biscuits pour chien», se dit-il. Car les chiens sont capables de calculer ces choses-là.

Jocelyne regarde tout autour d'elle, suit le rayon de lumière. Sur le mur du fond, elle découvre d'étranges dessins.

Les extraterrestres sont-ils des voleurs ?

— Qu'est-ce que ça peut vouloir dire... murmure Jocelyne.

Et, surtout, qui les a tracés? Bientôt le soleil poursuit sa route et les dessins sont plongés dans le noir. Jocelyne repart vers le village, décidée à revenir avec Agnès et John.

Mais ce qui l'attend chez elle, ce ne sont pas ses amis. C'est le chef de police. Il veut l'interroger sur un vol qui a été commis.

Et dont les indices la désignent comme coupable.

Chapitre II
Du vol des recettes au vol de la comète

Le dépanneur d'Édouard Duchesne est vide. Au lieu de se tenir derrière son comptoir, Édouard, l'oncle de Jocelyne, est dans l'ancienne pièce réfrigérée qui lui sert maintenant de bureau. Il réconforte et protège sa nièce pendant que le chef de police lui pose des questions.

Le chef n'a pas son ton bourru habituel. Il aime beaucoup Jocelyne, qui, avec ses amis, l'a si souvent aidé à démasquer des malfaiteurs. Mais les faits sont là.

1. Les recettes du spectacle de magie de la veille ont été volées cet après-midi dans le bureau de l'aubergiste.

2. Sur les lieux, on a trouvé plein de poils de chien. Il n'y a pas de doute, ce sont ceux de Notdog qui est le seul chien de cette couleur bizarre au village.

Jocelyne explique encore une fois. Car le chef semble un peu lent à comprendre. Mais les chefs posent souvent les mêmes questions, simplement parce que parfois un petit détail surgit de la mémoire. Elle lui relit la lettre de Simon. Elle lui reparle de la grotte. Elle l'assure que Notdog l'accompagnait et admet qu'il n'y avait personne d'autre avec elle.

— La première chose à faire est d'aller voir ce Simon, dit le chef en se levant.

Il prend Édouard Duchesne à part:

— Vous n'avez rien remarqué de spécial chez Jocelyne ces derniers temps?

— Ma nièce n'est pas une voleuse! s'emporte Édouard.

— Ce n'est pas ce que j'ai dit. Je cherche, c'est tout.

— Je ne vois rien de particulier. Seulement peut-être que Jo est d'humeur un peu triste. Voyez-vous, elle rêve d'une planche à neige pour Noël. Mais c'est beaucoup trop cher.

— Si elle avait de l'argent, elle pour-rait se l'acheter...

— Qu'allez-vous insinuer!?

Le chef sort en silence.

* * *

Non loin de là, dans le sous-sol d'un bungalow, Agnès et John fouillent dans un livre d'astronomie.

— Qui a eu l'idée de faire notre travail de science sur le passage de la comète de Charley? demande Agnès en tournant les pages.

— Moi! répond John fièrement.

Agnès soupire:

— La prochaine fois, tu me laisseras avoir l'idée, d'accord?

— Pourquoi? Ça ne t'intéresse pas, l'astrologie?

— L'astronomie, John, pas l'astrologie, le corrige Agnès, comme elle le fait à chaque erreur de français du garçon. Oui, ça m'intéresse. Mais pas à la veille des vacances de Noël, c'est tout.

Sauf que voilà: les comètes ne fêtent pas Noël et ne choisissent ni le moment ni l'endroit où elles passent près de la Terre. Et il s'avère que, cette fois-ci, le ciel des Cantons de l'Est est tout à fait propice à l'observation de Charley. C'est donc dans ce petit village que l'association des astronomes amateurs, les AAA, a élu domicile.

Pendant trois jours, l'auberge Sous mon toit sera l'hôte d'un groupe d'amateurs d'astres, satellites, astéroïdes, comètes, enfin de tout ce qui concerne le ciel et les étoiles.

Pour leur travail de science, John a suggéré à Agnès et à Jocelyne de profiter de l'occasion. De profiter surtout du passage des AAA pour les questionner et suivre avec eux la comète. Car John est un maniaque d'espace, de fusées, de science-fiction et d'extraterrestres.

Les filles ne partagent pas sa passion, mais elles ont accepté. «Ça va nous valoir un A!» a pensé Agnès. «Ça nous évitera de passer cent heures à la bibliothèque!» a pensé Jocelyne.

— Qu'est-ce qu'elle fait, donc, Jocelyne? Elle devait venir nous aider, bougonne Agnès.

Quand on parle du loup, on en voit le bout de la queue. Jocelyne descend à toute vitesse l'escalier qui mène au sous-sol. Et Notdog, qui la suit, saute les trois dernières marches, tout content de se retrouver dans ce qu'il considère être sa meute.

— Tu es toute pâle! On dirait que tu as rencontré un pylône! s'exclame John en la voyant.

— Un fantôme, John, pas un pylône.

Agnès s'empresse autour de Jocelyne.

— Veux-tu un verre d'eau? Du jus? Un *popsicle*?

Jocelyne s'affale dans le fauteuil en peluche trop mou. Elle accepte un *popsicle* à trois couleurs et raconte ce qui vient de lui arriver. Elle parle tant et si bien qu'elle en oublie son *popsicle* qui fond peu à peu.

— Oh! J'ai tout taché le fauteuil!

— Pas grave, il est brun. Ma mère ne s'apercevra de rien, la rassure Agnès.

— Les mères voient tout, au contraire. Je me demande si elles ne sont pas elles-mêmes des extraterrestres, parce qu'elles ont des yeux tout le tour de la tête, la mienne en tout cas.

Agnès regarde John, ébahie:

— John! C'est la plus longue phrase que tu aies jamais faite sans erreur! Félicitations!

Un peu étonné lui-même, John se gonfle de fierté.

Jocelyne rappelle sa présence à ses amis.

— Vous m'oubliez?

— Non, non, répond Agnès. Mais toi, tu as oublié de nous dire qui t'a écrit cette lettre étrange.

— Je n'ai pas oublié: je gardais la surprise pour la fin. Vous ne devinerez jamais.

— Bob Les Oreilles Bigras, lance John en éclatant de rire.

— Ouache! Il ne doit même pas savoir écrire, celui-là.

En effet, Bob Les Oreilles Bigras, le motard local, n'a jamais été vu avec un crayon à la main. Laid, sale, affreux, mais pas si méchant que ça, Bob est la dernière personne qui pourrait être amoureux de Jocelyne. Car il est l'ennemi numéro un des inséparables, qui déjouent toujours ses plans malhonnêtes.

— Jean-Philippe Michaud, se moque Agnès.

— Merci pour moi! Il aurait l'air de mon petit frère, si j'en avais un. Non, ce n'est pas lui.

— Qui alors? demande John.

— Simon Gagné, avoue Jocelyne.

— Il est assez beau, admet Agnès.

— Bizarre, dit John. Car Simon est dans le Sud avec sa famille.

— Quoi? Depuis quand?

— Il est parti avant-hier.

Le téléphone sonne. C'est pour Jocelyne. Au bout du fil, le chef de police explique:

— Simon est en voyage.

— Je viens de l'apprendre.

— Je suis passé voir votre professeur, Mme Poliquin, pour lui demander si elle n'aurait pas un devoir écrit de la main de Simon. Elle corrigeait justement vos productions écrites, dont une de Simon.

— Et?

— J'ai comparé la lettre et le devoir. Ça ne fait aucun doute: Simon Gagné n'a jamais écrit cette lettre.

— Comment? s'exclame Jocelyne, atterrée.

— Et ce n'est personne de la classe non plus. Bon, il fait encore assez clair pour faire un tour du côté de ta grotte, poursuit le chef.

Jocelyne accepte d'y aller à condition que ses amis l'accompagnent. John lui souffle une question:

Les extraterrestres sont-ils des voleurs ?

— Est-ce qu'on sera de retour avant dix-huit heures? On a rendez-vous avec les astronomes amateurs pour notre travail.

— Sans problème.

Quarante minutes plus tard, le chef, les inséparables et Notdog pénètrent dans la grotte. Le chef éclaire la caverne avec une énorme lampe de poche.

Sur le mur du fond, là où s'étalaient les mystérieux dessins, il n'y a plus qu'une paroi désespérément grise et vide.

Chapitre III

Des astronomes dans la lune

La nuit est tombée depuis longtemps. Elle sera d'ailleurs la plus longue de l'année. Froide, noire, sans lune, cette nuit offrira le spectacle magnifique de la comète de Charley dans toute sa splendeur.

Trois ombres et demie s'approchent de l'auberge: les inséparables et Notdog.

— Le ciel est encore plus beau qu'au planétarium, dit John pour changer de sujet.

Car depuis qu'ils sont revenus bredouilles de la caverne, les trois amis n'ont parlé que des mystères qui s'accumulent aujourd'hui. Et la journée n'est pas encore finie.

Jocelyne a essayé de reproduire sur papier les dessins qu'elle a vus. Mais elle n'arrive pas à bien se les rappeler. Elle sait qu'il y avait un petit bonhomme, des planètes. Cependant, la forme exacte et l'ordre des images restent vagues. Et puis, il faut le dire: elle est pourrie en dessin.

En entrant à l'auberge, John, Agnès et Jocelyne tombent sur un groupe joyeux. Les astronomes amateurs sont loin d'être les professeurs au crâne démesuré et à la barbe négligée qu'on s'imagine. C'est plutôt une assemblée de personnes à peu près normales.

Près du comptoir des renseignements, une femme qui porte une montre solaire demande l'heure à tout le monde parce que le soleil est couché. À côté d'elle, deux hommes se racontent des blagues:

— Qu'est-ce que la lune dit en partant au combat?

— Je ne sais pas.

— Pas de quartier!

Les deux hommes partent à rire. Agnès chuchote:

— On dirait une farce plate de Bob Les Oreilles...

Elle n'a pas fini de prononcer son nom que le fameux Bob Les Oreilles Bigras entre avec des bûches de bois. Notdog ne peut s'empêcher de grogner.

— Heille! Mes ados préférés! Comment ça va? Nu-pieds!

Et Bob éclate d'un gros rire gras en allant déposer son bois près du foyer. L'aubergiste répond d'avance à la question que les enfants vont lui poser.

— J'avais besoin de quelqu'un pour des petits travaux. Mon employé est malade et je suis tombé par hasard sur Bob qui cherchait du travail.

— Bob? Du travail? s'étonne Jocelyne.

— Ça paraît incroyable, je sais. Mais depuis trois jours qu'il est ici, je n'ai rien à redire. Peut-être qu'il a enfin décidé d'être honnête. Qui cherchez-vous?

— On a rendez-vous avec trois astronomes amateurs: Annette Mercure, Robert Lavoie et Jean Rhys, le magicien.

— Ils sont là. Ils portent des macarons avec leur nom.

Les enfants ont vite fait de les trouver.

— Ah! Voici les jeunes qui ont besoin de nous pour leur travail. Et voici la reine de la soirée d'hier! dit le magicien en donnant un baiser sur la main de Jocelyne. Laissez-moi vous présenter. Annette Mercure, que nous appelons entre nous Plannette Mercure. Affectueusement, bien sûr.

La dame leur sourit gentiment. Puis Jean Rhys leur présente un monsieur aussi large que haut.

— Robert Lavoie. Surnommé...

— Robert Lavoie Lactée. Pour vous servir. Dites-moi, les enfants: savez-vous d'où vient l'expression voie lactée?

— De la mycologie! répond vivement John.

— Je regrette, il n'y a pas de champignons dans le ciel, jeune homme.

John ne comprend visiblement rien à ce que raconte Robert Lavoie. Agnès intervient:

— Ce que John voulait dire, c'est mythologie.

— Ah! Voilà qui est bien. Nous savons tous que c'est Junon, la femme de Jupiter, qui, en nourrissant son bébé Hercule, a échappé une goutte de lait. Cette goutte de lait a donné naissance à la voie lactée. Et savez-vous d'où vient le mot galaxie? Non? De *gala*, en grec, qui veut dire lait. Et...

Annette Mercure l'interrompt:

— Laisse-leur au moins le temps de sortir leur magnétophone.

Ce que Jocelyne essayait de faire.

— J'ai oublié la cassette. Il va falloir prendre des notes… soupire-t-elle.

Mais voilà que la conférence commence. Tout le monde s'installe dans une grande pièce noire. Sur le mur du fond seront projetées des diapositives.

Évidemment, la soirée est consacrée à la comète. Jocelyne écoute distraitement. Elle repense à sa journée, à la caverne. Une diapositive attire son attention: l'illustration du solstice d'hiver. C'est exactement le premier des dessins du mur de la grotte. Elle le griffonne du mieux qu'elle peut.

Elle est désormais plus attentive, cherchant, au fil des images, à se souvenir. La dernière photo présente un cliché magnifique de la comète de Charley. «C'est le deuxième dessin», réalise-t-elle. Elle le reproduit, tout excité. En fermant les yeux, elle se concentre et réussit à voir apparaître les deux autres.

Après la conférence, alors que tous s'habillent pour sortir observer la comète,

Les extraterrestres sont-ils des voleurs ?

Jocelyne fait part de ses découvertes à ses amis.

Dans le hall, Notdog, qu'on avait un peu oublié, vient lui aussi de faire une découverte: un biscuit sous un fauteuil. «Ça ne ressemble à rien que je connaisse, mais c'est bon en titi.»

Il n'en laisse pas une miette et se lèche longtemps les babines. Sans savoir que sa collation allait changer sa vie.

Chapitre IV
Appelez-moi maître Notdog

Dimanche matin, le village voit tomber sa première neige. Dans sa chambre, Jocelyne se réveille tranquillement. Elle s'est endormie tard. Elle a tourné dans son lit une bonne partie de la nuit, essayant de comprendre la signification du message de la caverne.

Car là-dessus, elle est d'accord avec Agnès et John: il s'agit d'un message. De qui? À qui s'adresse-t-il?

Roulé en boule sur son tapis, Notdog ouvre un oeil quand il entend sa maîtresse pousser ses couvertures. Il bâille, se redresse et fait comme tous les matins: il saute dans le lit de Jocelyne pour se faire gratter les oreilles.

— Allo, mon gros.

En entendant ces mots, Notdog aurait dû penser, comme chaque jour: «Dans cinq minutes, je vais manger.» Mais voilà plutôt ce qu'il a en tête: «$E = mc^2$, c'est évident.» Notdog est perplexe. «Cette théorie de la relativité a quand même certaines lacunes. Voyons… Qu'est-ce qui m'arrive?»

Jocelyne le pousse.

— Allez, debout! John et Agnès seront là bientôt. Dis donc, toi. Tu as une drôle de tête, ce matin.

«Drôle, je ne sais pas. Mais pleine, ça, oui. Pleine d'idées bizarres», répond Notdog pour lui-même. Car s'il s'éveille avec un cerveau différent, il reste un chien incapable de parler.

Jocelyne lui sert sa moulée. Il la renifle. «Protéines brutes: 18 %. Matières grasses: 8 %. Cendres: 6,5 %. Farine d'avoine et de canard, oxyde de manganèse, bêta-carotène, vitamine D3, etc. Toujours la même chose…» soupire-t-il.

Tout de suite après le petit déjeuner, John et Agnès arrivent, couverts de neige. Qui peut résister à la tentation de se rouler dans la toute première neige de l'année?

Vite, ils s'installent dans la cuisine avec Jocelyne. On étale les dessins. La discussion commence avec Agnès.

— Bon. Le premier élément représente le solstice d'hiver. Le deuxième, la comète de Charley. Le troisième, un bonhomme qui tient ses lunettes.

— J'ai réfléchi cette nuit et j'ai pensé que ça ne se pouvait pas. On ne tient pas ses lunettes comme ça, dit John.

Jocelyne est d'accord.

— Ça pourrait être des jumeaux.

— Des jumelles, John, pas des jumeaux, le corrige Agnès. C'est plein de bon sens. Le quatrième élément a l'air d'un vaisseau spatial, non?

John et Jocelyne acquiescent.

— Donc, au moment du solstice d'hiver, quand passe la comète... Ça veut dire maintenant, avance John. J'ai vérifié dans mes livres et Charley est la seule comète dont le passage est prévu au sol... au sot... en tout cas, maintenant.

Jocelyne essaie d'interpréter la suite:

— Quelqu'un, on ne sait pas si c'est un homme ou une femme, quelqu'un qui regarde avec des jumelles.

— Donc, il ou elle observe, déduit Agnès.

— Enfin, un vaisseau spatial qui décolle. Le quelqu'un, c'est peut-être le pilote du vaisseau?

— Un extraterrestre est ici, aujourd'hui, pour nous observer! Je le savais qu'il y en avait! lance John.

Agnès n'est pas aussi pressée que lui d'interpréter le message de cette façon. Pourtant, c'est logique.

— L'appareil décolle.

— Quand il aura fini d'observer, il partira? suggère Jocelyne.

— Observer quoi? demande Agnès.

— Nous! C'est ce que font toujours les extraterrestres quand ils débarquent sur Terre! répond John, fébrile.

— Ce soi-disant message est peut-être juste une blague. On l'aura dessiné pour s'amuser, c'est tout, dit Agnès, prudente.

Mais John, qui rêve depuis qu'il est tout petit de rencontrer un être de l'espace, tient mordicus à sa théorie:

— Il ne se serait pas donné la peine d'aller l'effacer.

Jocelyne récapitule:

— Si on admet que ce soit possible, ce message pourrait annoncer que, en ce moment, un extraterrestre nous observe. Et il repartira une fois sa tâche terminée.

John en est persuadé. Agnès est sceptique. Et Jocelyne trouve l'idée séduisante. Mais comment éclaircir ce mystère ?

* * *

Pendant ce temps, au comptoir du restaurant Steve La Patate, le chef de police boit un café. Il discute avec son assistant.

— Je sais bien que Jocelyne rêve d'une planche à neige. Mais ce n'est pas une voleuse.

L'assistant est du même avis.

À une table, tout près, deux oreilles ont bien entendu.

Chapitre V
Y a-t-il un extraterrestre parmi nous?

John est déjà en chasse. Jocelyne, même si elle adore tout ce qui est fantastique, pense surtout à ce vol que quelqu'un, quelque part, a voulu lui mettre sur le dos. Quant à Agnès, elle croit qu'il y a sûrement une explication logique et tout à fait terre à terre à cette histoire insolite.

En mangeant leur *grilled cheese*, ils passent en revue toute la population du village. À part Bob Les Oreilles, qui n'a rien d'un être humain normal, tout le monde leur semble désespérément terrestre.

— Soyons logiques. S'il y a un être de l'espace parmi nous, il fera tout pour le cacher, dit Jocelyne.

— C'est sûr. Mais on connaît les gens d'ici depuis trop longtemps pour penser qu'un d'entre eux pourrait venir d'une autre planète, enchaîne Agnès. Il reste les étrangers.

— Qui sont nombreux à cause du passage de la comète. Drôle de coefficient, non?

— Coïncidence, John, pas coefficient.

— Il faut aller les observer, décide John.

— On va les voir pour notre travail et, mine de rien, on mène notre enquête, poursuit Jocelyne.

Agnès éclate de rire:

— On est complètement dans les patates et on se raconte une histoire qui n'a pas de sens. Mais je vous suis quand même. Est-ce qu'on ne devrait pas retourner à la caverne? Juste pour vérifier que personne n'y a rien oublié? Je ne sais pas, un tout petit indice, un crayon par exemple.

— Si ça peut te faire plaisir, allons-y, dit Jocelyne, convaincue qu'ils se déplacent pour rien. Allez, Notdog. On sort.

Le long de la rivière aux Renards, le paysage a changé. Le sol, les arbres sont tout blancs. Et la caverne est encore plus humide.

John, Agnès et Jocelyne inspectent minutieusement chaque recoin de la grotte. Jocelyne met son chien à la tâche.

— Cherche, Notdog, cherche. Je ne sais pas quoi. Tu comprends?

«Je ne suis pas idiot. Je sais très bien ce que tu attends de moi. Mais, côté

Les extraterrestres sont-ils des voleurs ?

renseignements, c'est un peu mince. Enfin, je vais faire de mon mieux, sachant que mon odorat est quarante fois plus développé que le vôtre.»

— Qu'est-ce que tu attends? C'est fou, mais on dirait que tu réfléchis.

John rit:

— Notdog? Réfléchir?

Insulté, Notdog entreprend ses recherches. «On verra qui de nous sera le plus utile...» Deux minutes plus tard, il appelle sa maîtresse. Dans une mousse verte à la texture gluante, Notdog a trouvé une clé.

— Bravo, mon chien. Comment as-tu fait? demande Jocelyne sans attendre de réponse, évidemment.

«Élémentaire. Il suffit d'être systématique», répond tout bas le chien le plus laid du village. Qui est en train de devenir le chien le plus intelligent du village, et peut-être du monde, sans que personne le sache.

Chapitre VI
Les extraterrestres ont-ils la peau verte?

En se dirigeant vers l'auberge, Agnès essaie de tempérer un peu l'enthousiasme de ses amis.

— Cette clé n'a peut-être rien à voir avec la personne qui a fait les dessins. Elle aura été échappée là par hasard, par quelqu'un d'autre.

— Bien sûr. Cette caverne est tellement fréquentée, ironise Jocelyne.

— Ça ne coûte rien de se renseigner, dit John en grimpant les trois marches qui mènent à l'auberge.

Ils entrent. En les voyant, l'aubergiste accourt:

— Il a les pattes toutes sales! Je ne veux pas que Notdog entre!

— Désolée, mon gros. Ce ne sera pas trop long.

Et Jocelyne installe son chien dehors, à côté de la porte.

«Désolée, désolée... Il fait certainement moins dix degrés. Avec le facteur vent, c'est moins seize», bougonne Notdog.

À l'intérieur, les inséparables tentent leur chance.

— Est-ce que quelqu'un, chez vous, n'aurait pas perdu une clé?

En voyant la clé, l'aubergiste se réjouit:

— Où l'avez-vous trouvée? Ça fait trois jours que je la cherche partout! C'est la clé du garage et je ne pouvais pas y entrer sans elle.

Sans même attendre la réponse à sa question, il prend la clé et disparaît derrière son comptoir où la sonnerie du téléphone l'appelle.

— Oui, monsieur Lavoie, répond-il, les biscuits que vous avez fait venir sont arrivés.

Assis dans un fauteuil près du feu, Jean Rhys regarde les enfants et les salue, leur faisant signe d'approcher.

En passant près du présentoir de cartes postales locales, ils tombent sur Bob Les Oreilles en train de feuilleter une revue d'astronomie.

— Depuis quand t'intéresses-tu aux astres, Bob? demande Jocelyne.

— Depuis que je suis un nouveau Bob! Amélioré! Pour vous servir! Je suis tellement amélioré que je voudrais faire la paix avec vous et qu'on devienne amis. D'accord?

Il tend sa main et affiche un large sourire à moitié édenté, à moitié carié.

— Nous, on veut bien. Mais comment te faire conscience?

— Confiance, John, lui souffle Agnès.

— Quand je me regarde, petit comme ça par rapport à l'univers, ça me donne envie de devenir bon.

Et Bob s'éloigne, la main sur le coeur, pour aller plier une pile de nappes, près de la salle à manger.

— Ça ne me dit rien de bon, murmure Jocelyne.

Ils rejoignent le magicien.

— Bonjour. Vous allez bien? demande Agnès.

— Très bien, merci. Sauf que je suis

enrhumé. Décidément, cette planète ne me convient pas.

À ces mots, John, Agnès et Jocelyne échangent un regard furtif. Jocelyne, faisant mine de blaguer, lance :

— Oh! Vous êtes un extraterrestre!

L'astronome amateur sourit:

— Bien sûr! Mais ne le dites à personne. Et vous savez, j'ai la peau verte sous mes vêtements. Lui aussi, d'ailleurs.

Il montre Robert Lavoie Lactée qui s'amène, après avoir ramassé un sac au comptoir.

— Bonjour, bonjour. Ah! Quel bon feu! Vous permettez que je me joigne à vous, moi qui suis si frileux.

— Bonjour, cher Robert. Je disais à ces charmants jeunes que vous étiez un extraterrestre, vous aussi.

— Mais oui, mais oui. Et ça me cause des problèmes avec la nourriture. Vous n'avez pas idée comme ces douceurs vénusiennes pour le cerveau sont difficiles à trouver.

En disant cela, il prend un biscuit et le croque.

— Excusez-moi si je ne vous en offre pas, mais elles ne conviennent pas du tout aux humains.

Sur ce, Annette Mercure entre, secouant la neige sur son manteau. Robert Lavoie Lactée continue sur sa lancée:

— Elle aussi en est un. Enfin une. Mais elle ne l'avouera jamais, car elle a une mission de la plus haute importance à remplir sur terre avant de repartir d'ici peu pour faire son rapport au gouvernement sidéral. Elle est un fameux pilote de vaisseau. L'as de la galaxie. D'ailleurs, j'ai peur de monter avec elle.

Jean Rhys éclate de rire, puis:

— Si je me souviens bien, vous venez observer la comète avec nous ce soir, n'est-ce pas?

— Ouais, mais est-ce bien nécessaire? Peut-être qu'on pourrait juste en parler, propose Agnès.

— En parler? s'exclame le magicien. Ma chère demoiselle, pour percer le mystère des étoiles, pour les aimer, il faut les observer. C'est comme ça pour tout, d'ailleurs. Pour comprendre, il faut savoir regarder...

Dehors, Notdog commence à en avoir assez d'attendre. Il se met à geindre et à gratter la porte. Jocelyne entend ses pleurs et lui ouvre.

— Viens, mais reste sur le tapis d'entrée.

Le temps de se retourner, elle voit les astronomes se lever et saluer John et Agnès avant de se diriger vers le comptoir.

Annette Mercure y discute avec l'aubergiste, et Bob Les Oreilles vient chercher de nouveaux ordres.

Pendant que les inséparables se rhabillent, Notdog est le seul à voir la main subtiliser la clé.

Trois minutes plus tard, John, Agnès et Jocelyne marchent lentement dans la rue Principale.

— Vous croyez qu'ils ont voulu rire de nous? demande Jocelyne.

— C'est évident, affirme Agnès.

— À moins qu'on ait affaire à trois extraterrestres... suggère John.

Ils arrivent nez à nez avec le chef de police.

— Ah! Bonjour! Je te cherchais, Jocelyne. Dis-moi, où étais-tu un peu avant neuf heures ce matin?

Méfiante, Jocelyne hésite.

— Dans mon lit. Pourquoi?

— Parce qu'il y a eu un vol à la boutique de sport. C'est bizarre, le voleur n'a pris qu'une planche à neige. Rouge et noir. La meilleure de toutes.

— Je n'ai rien à voir là-dedans! s'emporte Jocelyne.

Le chef sort un objet de sa poche:

— C'était dans la boutique.

— La médaille de Notdog! Il l'avait perdue!

— En es-tu bien sûre?...

Chapitre VII
Quels sont ces soupçons qui se situent sur ces têtes?

Le chef de police a renvoyé John et Agnès chez eux. Il aime mieux interroger Jocelyne seule.

Au dépanneur de son oncle, Jocelyne explique encore une fois au chef qu'elle ne sait pas où Notdog a perdu sa médaille. Si elle l'avait su, elle l'aurait retrouvée rapidement. Mais quelqu'un l'a ramassée et laissée bien en évidence au magasin de sport.

— Si ce n'est pas toi... dit le chef, qui commence à douter de l'innocence de Jocelyne.

— C'est une personne qui veut me faire accuser de vol, de deux vols, continue Jocelyne.

— Mais pourquoi? demande l'oncle Édouard. Ce petit jeu commence à m'inquiéter. J'aimerais mieux que tu restes ici.

— Et mon travail de science? On doit observer la comète avec les astronomes ce soir! Il ne peut rien m'arriver à l'auberge.

— Écoute, Jocelyne. Si un fou rôde aux alentours...

— On le trouvera, conclut le chef en se levant pour partir.

Choqué qu'on puisse soupçonner sa maîtresse, Notdog se dit: «Il est grand temps que je me mêle de tout ça.» Il se fait ouvrir la porte, sort.

«Si j'étais un chien policier, qu'est-ce que je ferais en premier? J'attendrais mes ordres. Mais je ne suis pas un chien policier, je suis Notdog. Alors, à moi de décider. Logiquement, commençons par le début et allons au magasin de sport.»

La boutique est évidemment fermée. Mais Notdog renifle chaque centimètre de la devanture, chaque millimètre de l'endroit où la vitre a volé en éclats.

«Hum. L'odeur est forte. Plusieurs senteurs se mêlent, mais la dominante est celle du fameux, délicieux et exquis poulet frit de l'auberge.»

Sans trop savoir ce qu'il cherche, Notdog suit le chemin dicté par son odorat. Arrivé à l'entrée du seul établissement hôtelier du village, il se lève sur ses pattes arrière et regarde le menu de la semaine affiché dans une vitrine.

«C'est bizarre: je ne savais pas que je pouvais lire. Ah, voilà. Samedi: poulet frit. Le voleur a mangé ici hier soir.»

Il profite de l'entrée d'un client pour se faufiler à l'intérieur. Personne en vue. Vite, il fait le tour des lieux. Il ne distingue rien d'autre que l'odeur de poulet qui persiste. «L'huile d'arachide serait plus appropriée pour ce genre de cuisson.»

Un objet brillant attire son regard. Sur un tableau rempli de clés, il reconnaît celle qu'il a trouvée dans la caverne, la veille. «Tiens, elle est revenue à sa place. Je vais la rapporter à Jocelyne, ça lui fera sûrement plaisir. On ne pourra pas dire que je suis revenu bredouille.»

Il grimpe habilement jusqu'au tableau, prend la clé. À tout hasard, il fait un détour par l'endroit où il a découvert de si bons biscuits l'autre soir. Rien. Il se place près de la porte, attend. L'aubergiste surgit:

— Qu'est-ce que tu fais là, toi? Allez, ouste, dehors!

Il lui ouvre la porte.

* * *

Jocelyne n'est pas contente. Elle gronde son chien:

— Pourquoi as-tu volé cette clé? Il faut la rapporter.

Jocelyne part seule avec Notdog. Une fois près de l'auberge, elle ne peut résister à la tentation d'ouvrir la porte que cette clé verrouille. Elle entre dans le garage. Il lui faut deux minutes pour que ses yeux s'habituent à l'obscurité de la nuit déjà tombée. Elle avance avec prudence.

Il fait froid et humide. Un filet de vent glacial entre par une chatière. Tout à coup, elle entend un grattement. Elle écoute: ça vient de derrière une carcasse de moto-neige.

Ce qu'elle y trouve, c'est un piège à souris, une cage qui se referme lorsque l'animal y pénètre. Une souris grise essaie désespérément d'en sortir. Jocelyne n'hésite pas une seconde: elle libère la pauvre bête.

Elle continue son exploration. Et finit par repérer une planche à neige neuve, rouge et noir, toujours étiquetée, adossée au mur du fond.

Notdog n'est pas en reste. Car sur le bord d'une fenêtre, il déniche une friandise à moitié mangée. Cette étrange friandise qu'il a goûtée à l'auberge. Et qui l'a rendu si brillant. Mais est-ce bien à cause d'elle?

Jocelyne sort du garage, décidée à avertir le chef de police sur-le-champ. C'est alors qu'elle aperçoit Annette Mercure, à peine visible dans l'ombre de l'épaisse haie de cèdres.

Tenant une paire de jumelles, Annette observe le ciel. Puis, c'est le village et la rue Principale qu'elle passe en revue. Elle suit un moment le tacot de livraison du restaurant Steve La Patate. Ensuite, elle sort de ses poches un petit objet dans lequel elle parle à voix basse.

— Les gens d'ici ont l'habitude de faire venir leur repas de l'extérieur, le dimanche soir. Note: décrire le goût de la neige.

Elle range le tout et retourne vers l'auberge. Jocelyne la regarde ouvrir la lourde porte. Alors qu'Annette Mercure entre, Robert Lavoie sort. On l'entend saluer sa collègue:

— Oh! Bonsoir! Belle heure pour prendre l'air.

Il reste un peu sur le balcon. Puis, il descend les marches et fait les cent pas, regardant le ciel, respirant à fond. Il s'engage dans le sentier qui mène vers la piste de ski de fond et s'éloigne lentement.

Malgré la distance, Jocelyne a eu le temps de remarquer un détail étonnant: Robert Lavoie Lactée se promène dehors, par moins quinze degrés, les pieds nus dans des sandales.

«Étonnant pour un homme qui se dit frileux», pense-t-elle.

Elle n'est pas au bout de son étonnement. Car quelques instants plus tard, elle aperçoit Jean Rhys à la fenêtre de sa chambre. Il n'y aurait rien d'anormal là-dedans si elle ne le voyait pas tenir une souris par la queue et l'avaler tout rond.

Chapitre VIII

Pourquoi les extraterrestres volent-ils les planches à neige?

— Je vous jure que c'est vrai! Il l'a prise par la queue et il a fait comme ça.

Jocelyne mime à John et à Agnès ce qu'elle a vu quelques minutes plus tôt.

Horrifiée, ce n'est pas au poste de police qu'elle s'est rendue, mais chez Agnès. Elle a d'abord appelé son oncle Édouard pour lui dire qu'elle était chez son amie. Puis, les filles ont téléphoné à John pour qu'il rapplique immédiatement.

Agnès récapitule:

— On a un homme qui mange des souris, un autre qui se promène pratiquement nu-pieds dans la neige et une femme qui prend des notes sur les habitudes des gens d'ici.

— Avec la planche à neige en crime, ajoute John.

— En prime, tu veux dire? le reprend Agnès.

— C'est ça, oui. On nage en pleine science-fiction.

John est ravi de la tournure des événements. Jocelyne est encore sous le choc. Quant à Agnès, elle commence à penser que cette histoire d'extraterrestres n'est peut-être pas aussi farfelue qu'elle le croyait.

— Les blagues d'extraterrestres qu'ils nous ont faites paraissent moins innocentes, dit-elle.

Tout à coup, Jocelyne revoit une image dans sa tête.

— Annette Mercure observait avec des jumelles. Exactement comme dans le dessin.

Cela donne une idée à John:

— Et si on leur montrait les dessins de la grotte? On pourrait voir la réaction de chacun.

— Pour quoi faire? demande Jocelyne.

— Tu as une meilleure idée?

— N'oublions pas la planche à neige... leur rappelle Agnès. Est-ce qu'il y a un rapport avec le reste?

Notdog, qui lisait tranquillement les pages économiques du journal, couché dessus, regarde les inséparables et pense:

«Il y a cette clé que j'ai rapportée. Elle ouvre le garage. Elle a aussi été retrouvée dans la grotte. La personne qui l'a perdue avait fatalement un intérêt dans le garage. Si ce sont des extraterrestres qui ont fait les dessins — je dis bien *si* —, cela prouve que les extraterrestres font de la planche à neige. Logique.»

Agnès se lève.

— De toute façon, on doit aller observer la comète avec les AAA. Et on doit rapporter cette clé. On peut suivre l'idée de John et faire notre propre enquête.

— Mais le chef...

Agnès interrompt Jocelyne:

— Il nous trouvera complètement ridicules avec nos êtres de l'espace. Allez, on va être en retard. On avertira le chef plus tard.

Jocelyne hésite un peu. Mais Agnès a raison. Et puis, ils ont maintes fois prouvé qu'ils étaient tout à fait capables de dénouer les histoires les plus invraisemblables.

* * *

— Ah! Voilà nos astronomes miniatures!

C'est ainsi que Jean Rhys accueille les inséparables. En regardant le magicien, Jocelyne ne peut s'empêcher de frissonner.

— Pour la clôture de cet événement, je vais donner un petit spectacle réservé aux AAA. Je vous y invite. Je prépare un numéro tout à fait spécial. Avez-vous des questions?

Jean Rhys s'installe dans un fauteuil du hall. John ouvre son cartable, sort une feuille sur laquelle il a superbement reproduit les dessins de la caverne.

— Est-ce que ça vous dit quelque chose?

L'homme regarde. Aucune réaction. Il prend tout de même un certain temps avant de demander:

— Où avez-vous trouvé ça?

— Dans une caverne, dans la forêt, assez loin d'ici, répond Jocelyne en l'observant.

— Oh.

Comme le magicien ne dit plus rien, Agnès étonne ses amis en lançant tout bonnement:

— Nous croyons que c'est un message et qu'il signifie qu'en ce moment un être venu de l'espace nous observe et qu'il repartira bientôt.

— Vraiment?

Agnès explique comment ils en sont venus à cette conclusion.

— Hum. Vous avez un excellent sens de la déduction. Et aussi beaucoup d'imagination. Qui vous dit qu'il ne s'agit pas d'une blague? Ou d'un dessin griffonné par quelqu'un, disons, qui s'abritait de la pluie dans cette caverne?

— Pourquoi cette personne aurait-elle pris la peine de revenir l'effacer plus tard? demande Jocelyne.

La réponse du magicien est une question:

— Pourquoi, à ton avis?

— Pour qu'il ne soit ni vu ni lu.

Robert Lavoie les rejoint, bien chaussé.

— Bonsoir, les enfants. Quel froid! Est-ce que je peux vous être utile pour votre travail?

Agnès lui tend la feuille:

— À votre avis, qu'est-ce que c'est?

L'homme jette un coup d'oeil rapide:

— Voilà le solstice d'hiver, la comète de Charley, un personnage avec des lunettes d'approche et un vaisseau spatial qui décolle. Est-ce que je gagne quelque chose?

C'est alors que Bob Les Oreilles surgit et leur offre un panier d'arachides salées. Personne n'y touche.

Puis c'est au tour d'Annette Mercure de se pointer. John lui montre la feuille avec les dessins.

— Très intéressant! Qu'est-ce que ça signifie?

Jocelyne lui donne leur interprétation. La femme écoute avec attention.

— Fascinant, puis-je en faire une photocopie? J'ai tout juste le temps avant qu'on sorte observer la comète.

Sans attendre la permission, elle s'installe au télécopieur de l'auberge et appuie sur le bouton *COPY*.

Ensuite, tout le monde s'habille et sort. Les inséparables doivent l'admettre, le spectacle de la comète, par ce beau ciel clair de la fin de décembre, est merveilleux. Un télescope a été installé dehors. Chacun leur tour, adultes et ados vont y admirer l'astre brillant et sa traînée gazeuse éclatante.

Tout en observant leurs trois AAA, John, Agnès et Jocelyne écoutent les conversations et prennent des notes pour leur travail de science.

Le nez en l'air, Notdog récapitule ses connaissances sur le système solaire: «La planète Mars: à 228 millions de kilomètres du soleil. Durée de rotation sur elle-même: 25 heures. Durée de révolution autour du Soleil: 687 jours. Température: moins 20. Nombre de satellites: 2. Jupiter: à 778 millions de kilomètres du soleil. Rotation: 10 heures. Révolution: 12 ans...»

Du côté des bipèdes, ça discute orbite, angles, distances, astéroïdes et trous noirs. John, Agnès et Jocelyne ont peine à suivre les propos de plus en plus spécialisés. Et quand il est question de vie ailleurs que sur la Terre, l'animation est à son comble.

Les extraterrestres sont-ils des voleurs ?

Tous sont d'accord: il y a sûrement de la vie ailleurs. Mais où? Les humains ont déjà lancé des messages dans l'espace et, jusqu'ici, pas de réponse.

Des témoins rapportent depuis longtemps des visites, des rencontres avec des extraterrestres. Certains affirment même avoir été enlevés et conduits dans un vaisseau spatial. Il y a bien des photos, toujours floues, comme celles du monstre du loch Ness.

Existe-t-il vraiment de ces êtres qu'on voit dans les films de science-fiction, de toutes les couleurs, formes, tailles et textures? À l'aspect humain, animal ou végétal? Bons, mauvais et, surtout, beaucoup plus intelligents que nous?

En regardant le ciel étoilé, les inséparables sont convaincus que oui.

Et qu'il y en a un près d'eux.

Chapitre IX

Quand le chat est parti, les souris font danser les voleurs

Ce soir-là, les inséparables quittent l'auberge à regret. Entre les blagues de Robert Lavoie, les insinuations de Jean Rhys et les silences d'Annette Mercure, ils ont été attentifs aux moindres détails.

Jean Rhys refuse nourriture et boissons. Robert Lavoie se plaint du froid mais sue à grosses gouttes. Annette Mercure prend des notes quand personne ne la regarde.

Puis le moment vient où chacun se retire dans sa chambre. John, Agnès et Jocelyne sortent dehors. Mais au lieu de s'en aller chacun chez eux, ils vont inspecter le garage, n'ayant pas encore remis la clé.

Ils entrent. La planche à neige est toujours à la même place. Rien n'a bougé depuis le passage de Jocelyne.

— Il faut avertir le chef maintenant, dit-elle.

Ils ressortent. Agnès court à la porte d'entrée de l'auberge et glisse la clé dans l'ouverture où le facteur dépose le courrier. Quelqu'un les a vus. Quelqu'un qui ramasse la clé et va au garage.

* * *

Tout en marchant, John, Agnès et Jocelyne discutent des réactions qu'ont provoquées les dessins de la caverne.

— Vous souvenez-vous des termes exacts de la réponse de Jean Rhys? rappelle Agnès. Il n'a pas demandé qui a dessiné ça ni qu'est-ce que ça veut dire, mais «où».

— Comme s'il savait que ces dessins existaient, déduit Jocelyne. Et Robert Lavoie a à peine regardé la feuille. Il n'a pris qu'une seconde pour réfléchir et nous dire ce que cela signifiait.

John enchaîne:

— Annette Mercure avait l'air de ne rien comprendre. Peut-être qu'elle faisait l'indécente.

— L'innocente, John, pas l'indécente, rectifie Agnès.

Ils arrivent chez le chef de police. Personne. Ils font un détour par le poste de police, au cas où il y traînerait quelqu'un. Fermé. Dans ce petit village où il ne se passe pas grand-chose, on n'assure pas la permanence après vingt heures. Il faudra attendre à demain pour parler au chef.

Les inséparables vont se séparer pour la nuit quand Notdog se met à grogner. John, Agnès et Jocelyne se retournent. Ils aperçoivent en même temps l'ombre qui se profile sur le mur blanc du restaurant Steve La Patate.

Prudents, ils se cachent. L'ombre rétrécit en avançant. Enfin apparaît un homme qui longe les murs, cherche les coins sombres, surveille s'il n'y a personne alentour.

— C'est Bob Les Oreilles Bigras! murmure John.

— Où s'en va-t-il avec sa couverture? demande Agnès.

Car Bob transporte un gros paquet bien enveloppé dans une couverture grise.

Jocelyne tient à deux mains la gueule de Notdog pour l'empêcher de japper après Bob.

— Suivons-le. Ça m'étonnerait qu'il soit juste en train de faire une promenade

de santé, dit-elle. Notdog, chut! Tu comprends? Chut!

«Pourquoi toujours me parler en onomatopées? Comme si j'avais moins de 190 de quotient intellectuel...»

John, Agnès, Jocelyne et Notdog suivent le motard local à bonne distance. Ils connaissent bien le chemin qu'il prend, pour l'avoir si souvent emprunté eux-mêmes. Mais ce n'est qu'en vue du dépanneur d'Édouard Duchesne qu'ils réalisent que Bob se dirige résolument vers la maison de Jocelyne.

L'instinct de protection l'emporte sur l'intellect de Notdog et il se met à aboyer contre l'intrus sur son territoire. Bob fige. Jocelyne attrape son chien et lui enfouit la tête sous son bras.

Inquiet, Bob se dépêche. Il contourne la maison, déballe son paquet. Et il appuie la planche à neige volée sur un des murs de l'abri où l'oncle de Jocelyne empile son bois. Édouard ne manquera pas de la voir en venant chercher des bûches.

Jocelyne sait maintenant que c'est Bob qui a volé et qui cherche à faire dévier les soupçons sur elle. En colère, elle veut sortir de sa cachette pour le lui dire. Mais ses amis la retiennent.

— C'est sûrement lui aussi qui a volé les recettes du spectacle l'autre soir, chuchote Agnès.

— Oui, car les deux fois le voleur a voulu que je sois accusée à sa place en utilisant quelque chose de Notdog, dit Jocelyne.

— Si on trouve l'argent, on fera d'une roche deux coups!

— D'une pierre deux coups, John.

Les inséparables décident de suivre Bob qui s'en retourne à l'auberge d'un pas lent de promeneur.

Il y entre. Une minute plus tard, on peut voir s'allumer la fenêtre d'une chambre près de la cuisine. Puis elle s'éteint. Bob s'est couché.

— Logiquement, il a dû cacher l'argent à la même place que la planche à neige, dit Agnès.

— Ou dans sa chambre? suggère Jocelyne.

— Trop risqué, répond John.

— Mais comment entrer dans le garage? On n'a pas la clé!

En disant cela, Jocelyne regarde son chien.

— La chatière! Notdog peut s'y faufiler, j'en suis sûre!

— Et après? Comment va-t-il ouvrir la porte? demande Agnès.

— Mon chien est beaucoup plus intelligent que tu le penses.

Jocelyne l'emmène près de la petite porte fabriquée pour les chats.

— Écoute, Notdog. Tu entres ici. Une fois dans le garage, tu nous ouvres la porte. Compris? La porte.

Notdog réussit, non sans mal, à faire passer son ventre un peu gras par l'étroite ouverture. Il contourne le piège dans lequel une souris s'est de nouveau enfermée.

Dehors, sans trop y croire, John et Agnès attendent de voir la porte s'ouvrir.

Notdog réfléchit. «C'est simple. Il faut juste tourner la poignée. Simple pour une main et cinq doigts, mais pas pour une patte aux coussins rugueux et aux griffes un peu trop longues. Il est vraiment temps de les couper.»

Il glisse la patte sur la poignée, qui fait un huitième de tour, mais ce n'est pas assez. Il répète le geste et répète et répète. Dehors, Jocelyne l'encourage avec des «Encore! Encore!». Rien n'y fait.

«Je n'ai qu'à utiliser ma tête», pense Notdog. Et c'est justement ce qu'il fait. Il ouvre grand la gueule, mord la poignée. Et en serrant les dents du plus fort qu'il peut, il réussit à tourner la poignée juste ce qu'il faut pour qu'on entende enfin le déclic. Et c'est sous le regard incrédule de tous que la porte s'ouvre.

Les inséparables entrent et, sans attendre, se mettent à chercher. Gênés par la noirceur, ils fouillent dans cet indescriptible désordre qu'est un garage. Pots de peinture vides, outils, jouets cassés,

170

commode inutile, fils de toutes sortes, pneus d'été usés. Comment trouver l'argent volé?

C'est pourtant dans une boîte de conserve contenant anciennement de la soupe aux tomates que John le découvre.

Mais la porte s'ouvre subitement et Bob Les Oreilles Bigras entre, la refermant derrière lui.

— Vous avez perdu quelque chose, les microbes?

— On sait tout, Bob, lance Jocelyne.

— Tout quoi?

— Ne fais pas l'innocent. On t'a vu porter la planche à neige chez moi. Et maintenant on a retrouvé l'argent volé.

Bob s'avance, peu rassurant.

— Et alors?

D'instinct, tous reculent.

— On va avertir la police, menace Agnès.

— Oh non!

Rapide comme il l'est rarement, Bob attrape Jocelyne et lui tourne un bras derrière le dos, la tenant ainsi solidement.

Notdog grogne après Bob en montrant ses crocs.

— Lâche-la! ordonne John, qui sait que ça ne sert à rien. Pourquoi tu te charmes sur elle?

Bob éclate de rire:

— T'es mignon avec tes mots de travers. Tu t'acharnes, qu'on dit. Heille, Bob a un vrai dictionnaire dans sa tête. Pourquoi je m'acharne? Parce que l'autre jour, j'ai vu passer son idiot de chien et que ça m'a donné l'idée d'un plan.

«Idiot?! Là, c'est trop! Comment aider Jocelyne?» pense Notdog.

— Cette fois-ci, les microbes, je ne sais pas comment vous avez fait pour me trouver. Mais la police, elle, n'a rien soupçonné. Parce que Bob a été plus malin. Il a décidé de faire peser les soupçons sur quelqu'un d'autre! Je suis génial. J'ai écrit une fausse lettre signée Simon.

— Je vous l'avais dit! se souvient John.

— Et j'ai enlevé la médaille à ton chien. Ça n'a pas été facile parce qu'il ne se laisse pas approcher. Mais tout le poil qu'il a perdu sur moi, hi, hi! Bob a eu le génie de l'utiliser. Je suis sûr que le chef pense vraiment que c'est toi, la voleuse, Jocelyne. Tu veux tellement une planche à neige...

— Comment sais-tu ça, toi?

— Bob sait tout. Et Bob va tous vous attacher et s'en aller avec ses sous. Et d'ici à ce qu'on vous trouve, je vais être loin.

Et Bob part à rire de son gros rire gras.

— Oh! J'oubliais. Merci d'avoir rapporté la clé! Je l'ai tellement cherchée.

— Ce n'est pas toi qui l'as perdue dans la grotte?

— Quelle grotte?

Mais Jocelyne n'a pas le temps d'expliquer. Car Notdog vient de s'élancer sur le piège à souris.

— Appelle ton chien! crie Bob.

— Notdog! Viens ici!

Notdog a eu juste assez de temps pour soulever, à l'aide de ses dents, le minuscule loquet de la porte de la cage. Il attrape la souris et la garde solidement dans sa gueule, sans lui faire de mal.

Avant même que Bob s'aperçoive que Notdog s'avance vers lui, le chien le plus laid du village lui saute dessus et laisse tomber la souris dans l'ouverture de son coton ouaté.

Le fameux motard local se met à crier et à gesticuler comme un fou, l'air de danser une gigue endiablée.

— Heille! Faites quelque chose!

173

Les extraterrestres sont-ils des voleurs ?

D'abord, les inséparables éclatent de rire. Puis, ils immobilisent Bob et le débarrassent de la souris. Notdog lui prend un mollet entre les dents.

— Tu dois être content, Bob. Notdog s'est enfin approché de toi! se moque Jocelyne.

S'il l'avait faite lors d'un concours de grimaces, celle que Bob lance à Jocelyne lui aurait valu le premier prix.

Chapitre X
Le numéro de l'homme scié en deux

La journée de lundi s'est déroulée un peu comme dans un nuage. C'est le dernier jour d'école avant Noël. À cause des événements de la veille, John, Agnès et Jocelyne avaient la permission de rester à la maison. Mais pas question de rater l'occasion de raconter mille fois leurs exploits aux amis admiratifs et même un peu jaloux.

Car ce n'est pas tous les jours que des jeunes de douze ans capturent un voleur.

Sauf qu'ils n'ont toujours pas démasqué leur extraterrestre. Et les astronomes amateurs quittent l'auberge, après le spectacle promis par Jean Rhys. Comme les inséparables et Notdog y ont été personnellement invités, ils entrent dans l'auberge à l'heure prévue.

Jean Rhys les accueille lui-même.

— Je vous ai réservé une belle surprise. On commence dans quinze minutes.

John, Agnès et Jocelyne s'installent près du feu pour attendre. Robert Lavoie Lactée s'y réchauffe, en croquant des biscuits bizarres. Il leur en offre:

— Délices de Vénus. Goûtez, c'est délicieux. C'est ma femme qui les fait.

— L'autre soir, vous disiez que ça ne convenait pas aux humains, rappelle Jocelyne, avec l'espoir de confondre son extraterrestre.

— C'était juste pour continuer la blague d'extraterrestre qu'avait commencée notre magicien. J'ai beaucoup aimé votre village et j'y ai passé un excellent séjour. À part l'engelure. Vous ne me croirez pas, mais l'autre soir, je suis sorti dehors nu-pieds dans les sandales qui me servent de pantoufles. Ma femme dit toujours que je suis distrait, et c'est bien vrai.

Les inséparables cachent leur déception. Il faut se rendre à l'évidence: Robert

Lavoie n'est qu'un être humain normal. Annette Mercure les rejoint.

— Bon, ma valise est bouclée.

John suit l'exemple donné par Agnès.

— J'espère que vous n'avez pas oublié vos observatoires.

— Pardon?

— Vos notes, je veux dire.

— Ah... Mes observations... Comment sais-tu ça?

— On vous a vue écrire et entendue parler dans un magnétophone.

— Je vais vous faire une confidence. J'essaye d'écrire mon premier roman. Ça se passera dans un petit village. Alors, depuis que je suis ici, j'ai noté des détails, des attitudes.

— Notre Plannette Mercure, écrivain! J'espère que c'est de la science-fiction au moins, lance Robert Lavoie.

— Exactement. Dans mon histoire, on suspecte la présence d'un extraterrestre.

C'est à ce moment que Jean Rhys vient les chercher.

En s'installant dans la salle de réunion transformée en salle de spectacle, John, Agnès et Jocelyne savent qu'ils pensent tous les trois la même chose: il ne reste que Jean Rhys comme possibilité. Le magicien salue.

— Je vais d'abord vous présenter mon tout nouveau tour.

À la grande surprise de tous, Jean Rhys dépose sur sa table une cage. Avec une souris dedans. Il prend la souris par la queue. Se place de profil. Ouvre la bouche. Et la mange.

Il va vers Agnès. Et sort la souris du capuchon de son coton ouaté. L'illusion était parfaite. Tout le monde sait qu'il n'a pas vraiment mangé la souris. Mais personne ne peut dire comment il a réussi son tour.

Adieu veau, vache, cochon, extraterrestre.

— Et voici ma surprise.

De derrière le rideau surgit Bob Les Oreilles Bigras. Avec lui, le chef de police qui ne le quitte pas des yeux.

— Pour donner une bonne leçon à ce gaillard, j'ai demandé à monsieur le chef ici présent de me le prêter pour ce soir. Il me servira d'assistant.

Bob est inquiet. Il ne sait pas ce que le magicien a en tête. Même qu'il aimait mieux sa cellule, finalement, plutôt que de faire rire de lui par ses ennemis jurés.

— Alors, approche, Bob. Couche-toi là-dedans.

Bob s'allonge dans une boîte. On ne voit que ses pieds qui dépassent. Et le magicien commence à scier la boîte.

— Arrêtez! Je suis trop jeune pour mourir! Je ne volerai plus jamais! promet Bob, paniqué, en regardant les dents de la scie s'approcher dangereusement de son ventre.

Mais pas un cri de douleur. Le magicien le coupe en deux, sans que Bob comprenne comment cela peut être possible qu'il ne sente rien. Les rires et les applaudissements fusent. Puis, le magicien couvre les deux morceaux de Bob d'une couverture, prononce une formule magique et hop! voilà Bob recollé.

Quelques tours encore et c'est la fin. Tout le monde se lève, se serre la main, se dit au revoir, à la prochaine éclipse. John, Agnès et Jocelyne vont enfin saluer Jean Rhys. En riant, Jocelyne lui dit:

— Vous savez, on a cru un moment que vous veniez d'une autre planète. À cause des dessins qu'on vous a montrés et tout. On s'est vraiment raconté une histoire impossible.

Ne lui laissant pas la chance de répondre à cette révélation, Notdog, debout sur ses pattes arrière, le renifle avec insistance.

— Notdog! Descends!

Jean Rhys fouille dans ses poches.

— Il a dû sentir le biscuit dans mes poches.

Il le lui donne, en souriant:

— Gardez toujours l'oeil ouvert, les enfants. Il y a peut-être vraiment des extraterrestres sur terre. Qui sait?

Une fois dehors, John s'arrête près du télescope. Il jette un dernier regard dedans, pour admirer. Dans le ciel, un point lumineux de toutes sortes de couleurs avance lentement.

«Un parasite», pense John.

Bien sûr, il veut dire un satellite. Mais soudain, une explosion éclatante se produit. Et le point est propulsé dans le ciel à une vitesse vertigineuse, pour vite disparaître.

Ce n'est que le lendemain, enfin en congé, que John, Agnès et Jocelyne apprennent que le mystérieux Jean Rhys s'est volatilisé tout de suite après leur départ. Sans laisser de traces. Un détail

auquel ils n'ont pas pensé la veille leur revient: la souris utilisée lors du spectacle.

— C'est évidemment lui qui avait placé le piège dans le garage! comprend Jocelyne.

— Et pour y entrer, il avait besoin de la clé, continue Agnès.

— C'est donc lui qui l'a perdue dans la grotte, conclut John.

Mais à la question «Pourquoi être allé effacer les dessins?», personne n'a de réponse.

Sauf Notdog. Qui a décelé sur Jean Rhys l'odeur de cette bizarre de mousse verte sur le sol, composée d'éléments nutritifs essentiels pour le magicien. Jean Rhys s'en nourrissait.

Quant aux dessins, Rhys avait dû les faire lui-même pour le plaisir et les effacer tout simplement parce qu'ils étaient franchement mal exécutés. Du moins selon Notdog qui se découvrait fin connaisseur d'art.

Oui, tout est très clair dans sa tête, même les solutions aux mots croisés du journal sur lesquels l'oncle Édouard est en train de bûcher.

Mais bientôt, les effets des biscuits auront disparu. Et, à Noël, Jocelyne aura une planche à neige en cadeau.

Sylvie Desrosiers

QUI VEUT ENTRER DANS LA PEAU D'UN CHIEN?

Illustrations
de Daniel Sylvestre

la courte échelle

Chapitre I
Opération RAP:
journal de bord

Enfin, tout près du but.

Bientôt, toutes les revues scientifiques ne parleront que de cette grande découverte.

La gloire.

La fortune.

Attention, pas de précipitation. Il faut pouvoir observer et vérifier les résultats. Les tests sur les grenouilles ont été concluants.

Tester encore. Sur qui? Sur quoi?

Un gros animal serait l'idéal.

Il y a peut-être une possibilité.

Chapitre II

— Que seras-tu quand tu seras grand?
— Détective privé!

Une des plus belles journées de l'année se situe à la fin du mois de juin. Le 21, le 22 ou le 23, jamais la même, c'est celle qui annonce la fin des classes. Comme partout ailleurs, les enfants de ce charmant village des Cantons de l'Est fêtent chacun à leur manière ce grand événement.

Il y en a qui sautent tout habillés dans l'eau de la piscine municipale. D'autres se retrouvent au parc et crient à tue-tête comme des Sioux jusqu'à ne plus avoir de voix. Certains versent quelques larmes parce qu'ils quittent leur professeur bien-aimé, mais c'est loin d'être la majorité.

Pour trois d'entre eux, la fin des classes marque l'ouverture de l'agence Notdog, nommée d'après sa mascotte qui porte sans le savoir le titre de chien le plus laid du village.

Agnès, la jolie rousse qui porte des broches*, Jocelyne, la brunette et l'heureuse propriétaire de Notdog, et John, l'Anglais blond à lunettes, viennent de terminer leur sixième année. Ce trio connu sous le nom des «inséparables» est devenu célèbre au village pour les enquêtes qu'il a menées de main de maître. On peut dire aussi de patte de maître, car Notdog a toujours été de la partie.

En cette belle journée ensoleillée et chaude, Agnès enlève le vieux cadenas qui ferme symboliquement la porte de l'agence, un ancien *stand* à patates frites. Symboliquement, car le cadenas est cassé et ne cadenasse rien.

Dans les villages paisibles, nul ne verrouille les portes des maisons et des

---

* Appareil orthodontique.

voitures. Tout le monde se connaît, se surveille et sait tout sur les uns et les autres. Cela est fort bien pour la sécurité, mais très embêtant pour qui veut faire un mauvais coup en cachette.

L'agence est donc telle qu'ils l'ont laissée en septembre dernier. Les papiers de gomme à mâcher sans sucre traînent toujours. Les crayons aux bouts grignotés sont restés dans une boîte de conserve. Des dessins jamais terminés s'empilent dans un coin. Le fauteuil est couvert des poils de Notdog et la table en bois est marquée de sillons d'encre, vestiges des jours d'ennui.

— Il faudra changer l'affiche avec le cheval, dit Jocelyne en entrant. Elle est abîmée et ça fait bébé.

— Dans ma revue scientifique, il y a une très belle photo de langouste. On pourrait la coller à la place, suggère John.

Les deux filles se consultent du regard. Jocelyne essaye d'être diplomate:

— C'est intéressant comme idée mais, moi, j'aime mieux les bêtes à poil qu'à carapace.

— Mais les langoustes ont de la fourrure!

— Depuis quand? Ce sont des homards sans pinces!

— Des homards? Les langoustes ressemblent à des belettes! Sur la photo, la langouste se tient sur ses pattes de derrière, face à un serpent venimeux qui l'attaque. *Cool.*

Agnès comprend et reprend John, comme chaque fois que le garçon fait une faute de français:

— Tu veux dire une mangouste!

— Oui, bon, langouste, mangouste, c'est presque pareil. Le français, c'est vraiment difficile. Saviez-vous que la

MANgouste est le seul animal assez rapide pour vaincre un serpent? J'aimerais avoir une mangouste.

— Pour quoi faire? demande Jocelyne. Il n'y a pas de serpents venimeux ici.

Tout content de retrouver son local favori, Notdog fait le tour de l'agence, à la recherche d'un vieux bonbon à moitié sucé que les mulots n'auraient pas repéré durant l'hiver. Soudain, il tend l'oreille. Quelqu'un vient. «Ah, quelque chose d'intéressant, pense-t-il. Ce blabla, moi, je n'y comprends rien.»

Il reconnaît les petits pas et bat de la queue en signe de bienvenue. Une tête ronde apparaît dans l'embrasure de la porte.

— Allo, Dédé! dit Agnès. Alors, as-tu réussi ta première année?

— Oui. Je monte en deuxième.

— Pas de catastrophe?

— Pas trop. Mais je soupçonne ma mère d'avoir comploté avec le cuisinier de la cafétéria. Bizarrement, on servait des légumes justement les jours où je n'apportais pas mon lunch…

John, Agnès et Jocelyne ont un sourire entendu. Voilà bien une phrase à la Dédé.

Car le petit Dédé Lapointe est un charmant garçon de six ans qui a la manie de voir des complots partout.

— Où vas-tu avec ton seau?

— Pêcher des grenouilles. Avant, je suis venu vous offrir mes services. Cet été, je veux être détective avec vous.

Les inséparables cachent mal leur fou rire.

— On pourrait peut-être te trouver une tâche. Tu sais écrire?

— J'écris des codes secrets.

— Ah oui?

— Oui! La preuve, c'est que personne ne comprend ce que j'écris!

— Oh! un futur espion, lance John, flatteur. On ouvrira officiellement après la semaine des camps. Viens nous voir. Es-tu inscrit à une activité?

— Oui, à «Nos amis les reptiles». Et vous?

— À «Science en folie», répond Jocelyne. Veux-tu que Notdog t'accompagne pour la pêche aux grenouilles? Il pourra t'aider et te surveiller en même temps.

Dédé est ravi d'avoir un compagnon. De son côté, Notdog est ravi d'aller lui servir de pelle en creusant des trous partout. Jocelyne les regarde s'éloigner:

— Il y a des jours où j'aimerais être un chien.

Elle n'allait pas tarder à en faire l'expérience.

* * *

L'étang du boisé du Crapaud mou regorge de trésors. Experts en chasse aux grenouilles, Dédé et Notdog en ont déjà douze qui flottent dans un seau de plastique.

— Toi, je vais t'appeler Catherine, dit Dédé en plongeant sa main dans son épuisette pour en agripper une belle verte avec des taches brunes.

Il retourne dans l'eau jusqu'en haut de ses bottes. Dédé a bientôt les pieds complètement mouillés, mais il ne s'aperçoit de rien. Il attrape une grenouille, énorme cette fois.

— Toi, tu seras grand-papa Georges.

Et grand-papa Georges va rejoindre Catherine et ses amies.

— Oh! la jolie couleuvre!

Qui veut entrer dans la peau d'un chien ?

À part les grenouilles, ce que Dédé adore capturer, ce sont les couleuvres. Les noires avec une ligne jaune, les brunes avec le ventre rose. Toutes ces créatures qui glissent avec souplesse dans les hautes herbes sont ses animaux préférés. Il les flatte, les laisse s'entortiller autour de ses doigts, sa main, ses bras. Il les installe même sur sa tête.

Il en garderait bien dans sa chambre, sauf que sa mère refuse catégoriquement de vivre avec des «serpents» dans sa maison.

— Viens par ici, toi.

Dédé s'approche lentement, tend son bras et, vite comme un chat, l'attrape avec une poignée de sable.

— Oh! que tu es belle!

Il la dépose dans sa boîte à couleuvres, secoue ses mains dedans.

Bientôt, il décide de libérer toutes ses captures. Sauf les couleuvres qu'il garde quelques jours dans la remise derrière chez lui.

Il repart, avec Notdog qui trottine gaiement à ses côtés, mais n'a pas conscience de ce qu'il transporte avec lui.

Chapitre III
Méfiez-vous
de l'eau qui dort

Le concierge de l'école secondaire du village, M. Ben, surnommé par les ados «Monsieur Bénage», ronchonne. La fermeture de l'école est repoussée de deux bonnes semaines, à cause des camps de jour qui y sont installés.

«Ça me fera plus d'ouvrage que pendant l'année. Il y a des animaux et, ça, c'est pire que les jeunes. Enfin, peut-être pas...», pense-t-il en ouvrant les portes d'entrée.

Il est bien le seul à se plaindre. Les enfants et les jeunes qui participent aux camps sont enchantés de commencer l'été sur cette note distrayante.

Tout content de venir à l'école des grands, quoiqu'un peu impressionné, Dédé suit le flot des enfants inscrits à «Nos amis les reptiles». Ils entrent dans le local où, dans leurs cages, serpents, bébés crocodiles, caméléons, tortues ne leur prêtent aucune attention.

De leur côté, les inséparables prennent place dans le local de chimie pour «Science en folie». Agnès admire les fioles, les flacons et l'attirail complet du chimiste.

— Un vrai laboratoire! Avec des étagères pleines d'éprouvettes! s'exclame-t-elle.

— J'espère qu'on fera des expériences dangereuses, rêve Jocelyne en s'asseyant sur un tabouret.

John s'imagine en Docteur Jekyll, concoctant la potion qui le transformera en Mister Hyde. Jocelyne lui donne un petit coup de coude.

— Tu es dans la lune.

— Je pensais à un roman anglais. L'histoire d'un médecin qui invente une potion qui le transforme en être diabolaire.

— Diabolique, tu veux dire, le reprend Agnès qui les rejoint. Je préférerais inventer un élixir qui ferait de moi un génie.

Voilà que l'animateur entre, un jeune homme au pas dynamique et au visage rieur et sympathique. Le silence s'installe graduellement.

— Bonjour. Je me présente: je m'appelle Alex, Alex Pauzé. Je suis très content de passer la semaine avec vous. Je vais commencer par apprendre vos noms.

Devant lui, vingt-quatre yeux attentifs, six garçons, six filles entre douze et seize ans, qui viennent non seulement du village, mais de toute la campagne environnante. Plusieurs ne se connaissent donc pas.

— Les filles: j'ai une Agnès, ah, c'est toi. OK. Une Jocelyne, merci. Une Isabelle, tu es là. Une Josiane, merci et… Je suppose que vous êtes les jumelles Kessler?

— On ne peut rien vous cacher, répond l'une d'elles.

Les jumelles Kessler sont en tous points identiques: grandes, minces et jolies, avec de longs cheveux blonds traînant sur les épaules. Environ quinze ans, vedettes du ballet jazz local.

— Maintenant, les garçons. John? OK. J'ai deux Max: Max Masson et Max

Malo. Lequel est lequel? Merci. Adrien, c'est toi, bon, Frédéric, bien, et Antoine. On va commencer tout de suite avec la première expérience. Voici du bicarbonate de soude et du vinaigre.

Agnès murmure à ses amis:

— Il va nous faire le truc du volcan. Une affaire de deuxième année… Ça promet.

Tout le monde se lève et s'approche.

— Alors…

Effectivement, Alex Pauzé verse du vinaigre sur du bicarbonate de soude, et le liquide monte et explose comme un volcan.

Pendant ce temps, dans le local d'à côté, l'animateur tient dans ses mains un jeune boa. Denis Desouris, collectionneur de couleuvres et autres serpents, au grand dam de son voisinage, se promène d'écoles en garderies pour montrer ses trésors.

— Vous pouvez y toucher, les enfants. Il n'est pas dangereux.

Dédé Lapointe s'approche, sans crainte, et explique aux enfants, à peu près tous de son âge et qui hésitent:

— C'est juste une grosse couleuvre.

Il serre ses petits doigts autour de la peau froide, puis laisse sa place. Il s'arrête devant un vivarium.

— Et ça? Qu'est-ce que c'est?

— Une vipère, répond Denis Desouris. C'est un serpent venimeux, mais il n'a plus ses poches de venin. On parlera d'elle un autre jour.

Un détail attire l'attention de Denis. «Oups!» pense-t-il. Je m'occuperai de ça demain, avant que les enfants arrivent.

La journée se passe sans incident. À la fin, on se prépare à retourner chez soi.

Chacun quitte sa place. Les inséparables sont les derniers à sortir du local. Agnès ne cache pas sa déception:

— La chandelle et le verre renversé, ça aussi, c'était un truc de bébé.

— J'espère qu'on aura des expériences plus passionnelles demain, dit John.

— Passionnantes! Pas passionnelles! pouffe Jocelyne, qui a été plus vite qu'Agnès cette fois-ci. Je vais chercher Dédé pour le ramener.

Elle entre dans le local voisin, déjà vide. Elle en profite pour aller regarder un peu tous ces reptiles grouillants et peut-être gluants. Une petite bouteille d'eau est posée sur l'étagère des cages. Elle a soif. Elle essuie le goulot, prend une gorgée, essuie de nouveau. «Ça ne se voit même pas», pense-t-elle.

Elle ressort.

— Dédé doit nous attendre dehors.

Elle croise Denis Desouris qui retourne à son local et le salue. Elle rejoint ses amis et Notdog qui l'attendait fidèlement dans la cour d'école.

— Avez-vous vu Dédé?

Ils voient alors Alex Pauzé sortir de l'école, suivi de près par une des jumelles

Qui veut entrer dans la peau d'un chien ?

Kessler. Puis c'est au tour de Denis Desouris, de Max Malo, de l'autre jumelle et enfin de Dédé.

Notdog le rejoint et sent les vêtements de son compagnon de pêche à la grenouille. «Barre tendre, sandwich au jambon et urine d'animal inconnu. Je passe la soirée avec lui!» pense-t-il.

— Où étais-tu? demande gentiment Jocelyne à Dédé.

— Aux toilettes. Je me lavais les mains depuis dix minutes, on ne sait jamais, avec les microbes. Le concierge m'a dit que c'était trop long. Il m'a poussé vers la porte. Il doit manigancer quelque chose.

— Mais non! Il voulait faire son ménage, c'est tout. On y va?

— C'est louche, quand même.

La petite troupe s'éloigne, sans s'imaginer que Dédé pouvait avoir en partie raison. Il y avait quelque chose de louche à l'école.

Chapitre IV
Quand les rêves deviennent réalité

Cette nuit-là, le village est paisible. On entend au loin le coyote qui gémit comme un bébé et le coassement des grenouilles dans les étangs.

Il fait chaud. Pas trop pour John qui vit dans la campagne. Sa chambre est balayée d'un vent doux. Pas trop non plus pour Agnès, qui a aménagé la sienne au sous-sol toujours frais du bungalow où elle vit avec sa famille.

Pour Jocelyne, c'est différent. Elle habite avec son oncle, Édouard Duchesne, le logement au-dessus du dépanneur qui appartient à ce dernier. Il n'y a pas

Qui veut entrer dans la peau d'un chien ?

de vent, dans la rue Principale, et toutes les fenêtres sont ouvertes. Mais ce n'est pas tant la température un peu chaude pour la saison qui fait suer Jocelyne que ce qui se passe à l'intérieur de son corps.

Elle a mal à l'estomac, se tourne, se retourne dans son lit sans trouver de soulagement. Elle s'éveille, se sent mal. Tout tourne autour d'elle et prend des proportions trop grandes pour être réelles, des proportions de cauchemar. Sa tête est enfoncée dans son oreiller et son drap pèse aussi lourd que six couvertures au moins. Elle veut le soulever, n'y arrive pas.

Elle se tortille, glisse vers le bord de son lit. Par terre, à côté, Notdog lève la tête. Il se demande si sa maîtresse veut se lever en pleine nuit et sortir, idée qui ne lui plaît pas trop.

Jocelyne ouvre les yeux, retient un cri: son chien a une tête gigantesque. Sa gueule ouverte pour haleter montre des dents démesurées et effrayantes.

Elle se touche le front: «J'ai de la fièvre, oh! méchante fièvre!»

Elle ferme les yeux et c'est alors qu'elle se sent tomber, tomber, tomber

Qui veut entrer dans la peau d'un chien ?

jusqu'au moment où elle atterrit sur une surface chaude.

«Mauvais rêve, je fais un mauvais rêve.» Pourtant, ce n'est pas son drap qu'elle tâte sous elle: la surface est trop douce. Elle ouvre les yeux et se voit entourée d'arbres jaunes et sans feuilles. Tout à coup, le sol se met à trembler, à se mouvoir. Elle s'agrippe à un arbre.

Elle réalise qu'elle est bel et bien réveillée.

Et qu'elle se trouve quelque part sur le dos de son chien.

Chapitre V

On ne compte plus les disparus

Le lendemain matin, au laboratoire, Agnès et John commencent à s'inquiéter. Jocelyne est en retard et elle n'a pas l'habitude de traîner le matin, sauf les jours d'école, bien sûr.

— Alex, est-ce qu'on peut attendre encore deux minutes avant de commencer? demande Agnès.

Alex accepte et va jaser un peu avec les autres. Il s'assoit sur un tabouret près des jumelles Kessler.

— Alors vous vous intéressez aux sciences.

— Oui, répondent-elles en choeur.

— Qu'est-ce que vous aimez le plus?

— La chimie.

— Vous en faites à l'école?

— On a eu une moyenne de 100 % cette année.

Il se tourne vers Max Malo.

— Et toi?

— Moi, c'est la biologie.

— Tu es en quelle année? Secondaire deux? Trois?

— Cinq. J'ai sauté deux ans.

— Je vois que j'ai affaire à des jeunes très spéciaux, dit-il en retournant près du tableau noir. (Il sourit.) J'en suis vraiment ravi.

John chuchote à Agnès:

— J'espère qu'il ne me demandera pas combien j'ai en français…

Agnès soupire:

— J'aurais donc aimé être un génie!

— Et sortir d'une oreille?

Agnès met quelques secondes avant de comprendre la blague.

— D'une bouteille, John, pas d'une oreille!

Alex Pauzé s'adresse à tout le groupe:

— Bon. On commence. Aujourd'hui, nous passons aux choses sérieuses.

Il va fermer la porte du laboratoire et voit passer Denis Desouris, pressé, une boîte sous le bras. Les enfants l'attendent dans le corridor.

Denis entre dans son local. Il blêmit tout d'un coup: la vipère a disparu.

* * *

— Vous êtes bien certain que personne n'est entré ni sorti? demande le chef de police à Édouard Duchesne.

L'oncle de Jocelyne est nerveux et très inquiet:

— Certain! Quand je me suis levé, le crochet de la porte-moustiquaire était mis. Notdog était là. Et je ne vois pas pourquoi Jocelyne serait sortie par sa fenêtre. D'autant plus qu'on vit au deuxième étage!

Le chef se penche, regarde dehors.

— Oui, ça fait haut pas mal. Pourtant, ça ressemble à une fugue.

— Une fugue! s'exclame Édouard. Pourquoi aurait-elle fugué? Elle est heureuse, à ce que je sache, et vraiment enthousiaste à propos de son camp de sciences. Puis les trois amis s'apprêtent à

Qui veut entrer dans la peau d'un chien ?

ouvrir l'agence pour l'été. Il n'y a aucune raison, chef!

Le chef se gratte l'oreille droite, comme chaque fois qu'il réfléchit. Notdog l'observe et pense qu'il a bien de la chance de pouvoir se gratter sans être obligé de s'asseoir.

— C'est peut-être un rapt, Édouard.

— Notdog aurait jappé, grogné, mordu, m'aurait réveillé!

Édouard se tourne vers le chien de Jocelyne.

— Ah, si tu pouvais parler! Allez, Notdog! Cherche, cherche Jocelyne.

Mais Notdog reste désespérément assis à sa place.

* * *

À l'école secondaire, Denis Desouris a renvoyé les enfants pour chercher son serpent. Ils ont eu beau protester qu'ils étaient des grands et que les petits serpents ne leur faisaient pas peur, peine perdue. Denis Desouris ne pouvait tout de même pas leur dire que cette vipère-là était venimeuse.

Chapitre VI

Qui veut entrer dans la peau d'un chien?

Sur le palier, derrière le dépanneur, Notdog réfléchit. «Pourtant, je la sens! Elle ne peut pas être loin, son odeur me suit partout où je vais!»

Notdog commence à inspecter tous les coins de SON territoire. Il arpente le terrain bordé par une clôture qui ne ferme rien, puisqu'il n'en subsiste qu'une partie. Mais peu importe qu'il en manque un bout car, en vrai chien, Notdog l'apprécie grandement pour marquer son domaine. De même que tous les chiens du voisinage.

Notdog connaît l'odeur de chacun. «Tarzan est passé par ici. Tiens, Bébé aussi. Sa patte cassée doit donc être guérie. Et… quoi! Pas l'horrible chat obèse de la pharmacienne!» s'indigne Notdog en flairant les limites de la cour. «Attends que je le rencontre, je vais le…»

Notdog pense alors à l'égratignure sanglante que le chat lui a déjà faite sur le museau. «Finalement, je ne lui ferai rien du tout…»

Il croise la petite chatte noir et blanc qu'Édouard Duchesne a prise en affection et qu'il nourrit tous les jours. Pour ces raisons, Notdog la tolère.

Elle traîne lentement son gros ventre grouillant de chatons à naître.

Il repère le passage de la marmotte et un nouveau terrier de mulot, mais aucune trace de Jocelyne. Il doit chercher ailleurs. Mais où? Quelle direction prendre quand le nez guide partout à la fois?

Tout en réfléchissant, Notdog décide de profiter de ce que personne ne le surveille pour se gratter un peu. «Dès que je lève la patte, Jocelyne pense que j'ai des puces.»

Dans le cou de son chien, Jocelyne réfléchit elle aussi. «Je n'ai pas rencontré de magicien. De toute façon, ils ne rapetissent pas les gens pour de vrai. Leurs tours, ce sont des trucs. Je n'ai pas rencontré de sorcière. Ça n'existe pas, enfin, il me semble. Qu'est-ce qui m'est arrivé?»

Juste à ce moment, une patte énorme et poilue, avec des griffes noires usées, s'abat sur elle.

— NONNNNNNNNN!

Notdog ne l'entend pas et se met à se gratter frénétiquement le cou. Du poil vole dans les airs, et le chien grogne de satisfaction. Jocelyne s'agrippe au collier rouge, mais Notdog réussit à le faire tourner autour de son cou. Elle se cramponne à l'anneau qui sert à attacher la laisse, qu'elle ne lui met d'ailleurs jamais. Elle est retournée dans tous les sens, mais elle tient bon.

La séance de grattage s'arrête enfin… pour reprendre de plus belle de l'autre côté. Jocelyne se met à hurler:

— Attends que je retrouve ma taille! Tu vas avoir droit au bain du siècle! Notdog, arrête! Notdog! C'est moi!

Un instant, le chien se fige. «Ça y est, j'ai des mites dans les oreilles, j'entends un drôle de bruit», pense-t-il. Puis il se secoue et décide de reprendre ses recherches.

Il s'arrête souvent, renifle une gomme vieille de trois jours, une borne-fontaine arrosée par tous les chiens du village, une grenouille écrasée.

Il marche et les gens du village le saluent. Plusieurs lui caressent la tête en passant. Jocelyne appelle chaque fois, mais personne ne l'entend.

Elle voit la rue Principale comme jamais elle ne l'a vue. À hauteur de chien.

Des gens, elle n'aperçoit que les genoux, les tibias, les chaussures et les sandales. Des devantures des boutiques, que le ciment qui jouxte le trottoir.

Quand Notdog traverse la rue, elle se cache derrière une touffe de poils pour ne pas voir les pare-chocs des voitures qui viennent trop vite à son goût. Son chien ne regarde que devant lui, certain que la rue lui appartient comme, du reste, le village en entier. Il a vite compris que les voitures s'arrêtaient de toute façon. Mais Jocelyne a peur: «Ce n'est pas possible qu'il soit si imprudent!»

C'est alors qu'une odeur familière lui parvient aux narines, une odeur de frites et de vieille graisse. «On arrive chez Steve La Patate! Oh non!» Elle a juste le temps de se cramponner pour ne pas tomber. Notdog se dresse sur ses pattes arrière. Elle entend un bruit de métal qui frappe le sol.

— Je le savais! Les poubelles! Notdog, sors de là!

Pour une fois qu'il le peut, Notdog en profite. Il renverse les quatre poubelles et fait un festin des restes de poutine et de bacon brûlé. Jocelyne se bouche le nez d'une main tout en se tenant fermement de l'autre. «Ouache! C'est dégueulasse!»

Son ventre bien rempli, Notdog se remet à marcher lentement. Jocelyne peut

enfin errer librement sur son chien. «Hum, ça fait pas mal longtemps qu'il a été lavé, lui.»

Du sable et de minuscules cailloux jonchent son dos. Le poil est sale, huileux, emmêlé, avec plein de brins d'herbe sèche et des chardons. Il est difficile de se frayer un chemin à travers ce pelage tout en noeuds.

«Une vraie forêt vierge, ici! Heureusement, il n'y a ni crocodiles, ni serpents, ni panthères, ni tarentules. Rien de dangereux», se dit-elle.

Elle n'a pas pensé aux puces.

* * *

À l'école secondaire, c'est la consternation. Le chef est venu questionner tout le monde. Qu'a fait Jocelyne, hier? Dix fois, John et Agnès relatent ses moindres allées et venues.

Les deux inséparables veulent chercher de leur côté. Mais ils se posent la même question que Notdog: par où commencer?

Chapitre VII
La puce à l'oreille

Pendant ce temps, Édouard Duchesne cherche une bonne photo de Jocelyne. Lui et le chef ont décidé de l'afficher sur tous les poteaux du village et des environs. Bien sûr, la majorité des habitants connaissent Jocelyne. Mais il y a les gens de passage, les touristes. On ne sait jamais.

Les deux hommes ont écarté l'hypothèse de la fugue. S'il s'agit d'un enlèvement, il ne peut être question d'une rançon: Édouard Duchesne ne possède aucune fortune.

Il se demande ce qu'il pourrait bien offrir en récompense à qui trouverait sa nièce. N'importe quel article de son dépanneur? C'est peu, sauf que c'est tout ce qu'il a.

* * *

John et Agnès ont fait le tour du village toute l'heure du repas de midi. Ils sont passés voir Édouard Duchesne. Ils ont cherché dans les rues avoisinantes. Ils ont questionné les gens, pour se faire répondre que la police leur avait déjà posé un million de questions au moins.

Ils retournent à leur camp bien malgré eux. Inquiets, leurs parents leur ont interdit de se mêler de ce qui pourrait être aussi grave qu'un enlèvement. Et puis ils tiennent à savoir exactement où sont leurs enfants, les jugeant en sécurité au camp de sciences.

Les parents se trompent parfois.

— Si au moins on savait où se cache Notdog! soupire Agnès.

— Il est peut-être entre les mains des raquetteurs? suggère John.

— Des ravisseurs, John, pas des raquetteurs.

En pénétrant dans l'école, ils croisent le concierge, M. Bénage.

— Eh! C'est à vous, ça?

Il leur tend un cahier.

— Non, répond John.

— Prenez-le tout de même et cherchez à qui il peut appartenir. Moi, je n'ai pas envie… pas le temps, je veux dire.

— Mais on n'a vraiment aucune idée…

Le concierge interrompt Agnès:

— C'est sûrement à l'un d'entre vous. Je l'ai trouvé au pied d'un arbre, dans la cour, là où tout le monde a mangé ce midi.

Et il s'en retourne à son travail en traînant son balai et sa mauvaise humeur.

John ouvre le cahier: pas de nom. Il tourne la page: OPÉRATION RAP: JOURNAL DE BORD.

Les deux inséparables lisent ce qui est écrit.

— Étrange, John, tu ne trouves pas?

John va à la page suivante.

«Test numéro 2: une réussite. Avant de tester sur un humain, retrouver l'animal. Les effets devraient disparaître d'ici un ou deux jours.»

Le texte s'arrête là.

— Je me trompe peut-être, mais je crois qu'on a quelque chose d'importun dans les mains.

— D'important, John, pas d'importun. Je suis d'accord avec toi.

— Si on ajoute un T au mot RAP, tu sais ce que ça signifie? demande John.

— RAPT! Enlèvement!

Alex Pauzé surgit dans l'embrasure de la porte du laboratoire.

— Vous venez? On commence!

John cache le journal dans les poches de son pantalon. Et ils pénètrent dans le local.

* * *

Dans le jardin derrière chez lui, Dédé Lapointe s'ennuie. Il est bien déçu. Dès le deuxième jour de «Nos amis les reptiles», l'animateur tombe soi-disant malade. Quoi faire? Sa mère lui a interdit de sortir des limites de leur propriété. Et il a déjà laissé filer la dernière couleuvre qu'il avait attrapée.

Assis dans l'herbe, les coudes sur les genoux et les joues dans les mains, il regarde le jardin immobile. Pas même un insecte.

Soudain, ses petits yeux de chat repèrent un mouvement familier, furtif et vif. Dédé bondit et saisit la forme mince et rampante.

— Ah! je t'ai eue!

Il tient solidement la tête de la couleuvre qui se débat. Il court dans la remise et la dépose dans un vivarium. Il retire sa main juste au moment où elle allait le mordre. Il met un couvercle. Il l'observe à travers la vitre.

— Tu es bizarre, toi, tu as des crochets.

Mais ce qui le frappe soudain, dans le vivarium, c'est un grain de sable. Un grain de sable qui bouge, qui saute. Il entrouvre le couvercle, plonge une petite épuisette et ramasse le grain de sable danseur.

— Je vais t'examiner.

Il l'installe sous la lentille de son microscope jouet.

— Tu es peut-être un être venu de l'espace pour nous envahir et qui a pris la forme d'un grain de sable pour passer inaperçu!

Il tourne la lentille. L'image se précise.

— Qui a dit que je ne ferais pas un bon détective?

* * *

— Excusez-moi, je peux aller aux toilettes?

— Mais oui.

John se lève de sa place, lançant à Agnès un coup d'oeil entendu. Il sort du laboratoire, mais au lieu de se diriger vers les toilettes, il sort de l'école. Il va au jardin et, après réflexion, il choisit un arbre en retrait. Il dépose le journal à côté et retourne rapidement au laboratoire. Il reprend sa place et chuchote à Agnès:

— C'est fait. On verra à la rose si quelqu'un le cherche.

— À la pause, John, pas à la rose.

* * *

Peu importe où il pose la patte, Notdog rencontre quelqu'un qu'il connaît.

Le chien le plus laid du village fait pratiquement partie du décor. Il s'est même trouvé des gens, et pas seulement des enfants, qui ont proposé qu'on fasse de lui l'emblème du village. Quand un policier le voit passer tout seul, sans laisse, s'il s'approche de lui, ce n'est pas pour l'attraper, mais bien pour lui faire une caresse.

— Salut, Notdog!

— Bonjour, mon gros!

— Veux-tu un biscuit?

— As-tu perdu ta maîtresse?

Notdog avance d'un pas sautillant jusqu'au bout de la rue Principale. Il n'a pas oublié Jocelyne. Il est toujours aux prises avec cette odeur qui ne le quitte pas et ne le guide donc pas.

« Mon seul espoir est que je reprenne ma taille, pense Jocelyne. Mais je ne sais même pas ce qui a pu me faire rapetisser. Un microbe ? Un virus ? Quelque chose que j'aurais mangé ? Bu ?

« Le lait, l'eau chez moi ? Non, mon oncle et mon chien auraient rapetissé aussi. Le jus de mon lunch d'hier ? À éliminer, j'en avais bu un autre de ce paquet-là sans problème. L'eau dans le local de Dédé ? La bouteille était déjà ouverte… »

Elle en est là dans ses réflexions quand, tout à coup, elle sent le sol vibrer. Il ne s'agit pas du balancement régulier de la démarche de Notdog. Ça bouge SUR son chien. Et cela avance vers elle.

Cela surgit soudain d'une touffe de poils: un insecte sans ailes, brun, hideux, menaçant et terrifiant. Un animal qui d'ordinaire ne mesure que deux millimètres: une puce gigantesque!

La voilà devant Jocelyne, affamée, prête à piquer et à sucer du sang pour se nourrir.

Jocelyne lance un cri de terreur:

— À l'aide!

Notdog s'arrête: «Jocelyne! Ma maîtresse! Elle n'est pas loin!» Il tourne sur lui-même, bondit à l'est, se ravise. Il vire à l'ouest, change d'idée, au nord, au sud, jusqu'à s'étourdir.

Jocelyne tombe, rampe pour fuir, recule, s'empêtre dans la forêt poilue. La puce avance, se faufile avec facilité entre les obstacles érigés sur son chemin. Jocelyne se prend les pieds, les cheveux dans la toile de poils. Voilà la puce tout près d'elle, prête à l'écrabouiller, l'écraser, n'en faire qu'une bouchée.

C'est à cet instant que le tremblement de terre se produit.

Qui veut entrer dans la peau d'un chien ?

Notdog vient de détaler. Il tourne à gauche, vers la campagne, en direction de la maison de Dédé Lapointe. Il y avait le son «D» dans l'appel qu'il a entendu. Dans son dictionnaire, cela correspond à dodo ou Dédé. De plus, il sait que Dédé, lorsqu'il le verra, lui donnera du fromage, du pain et peut-être de la crème glacée, s'il arrive à l'heure de la collation.

«La puce s'est cachée, pense Jocelyne. Mais elle n'a pas disparu pour autant.»

* * *

Le soleil de quinze heures tape fort. Tous prennent leur pause à l'ombre des arbres du jardin de l'école secondaire. Un peu à l'écart, John et Agnès observent.

Affublé de longs gants, Denis Desouris marche à quatre pattes dans l'herbe.

Sans en avoir l'air, les jumelles Kessler, chacune de leur côté, inspectent le jardin, centimètre par centimètre.

Max Malo se promène, mains dans les poches, l'air débonnaire. Un moment, il s'appuie sur l'arbre au pied duquel se trouve le journal, mais il ne le voit pas. Il essuie ses lunettes.

Alex Pauzé parle à l'un et à l'autre, zig-zague entre les arbres. Finalement, il donne le signal de rentrer.

Alors que tout le monde est déjà sur les marches du perron de l'école, Alex aperçoit le journal. Il le ramasse, l'ouvre, le referme. Puis il le glisse sous sa chemise.

John et Agnès devront attendre la fin du cours pour échanger leurs impressions. Ils comptent aller discuter à l'agence.

Quand ils y arriveront, une surprise les attendra.

Chapitre VIII

Même si on ne voit rien, on peut échanger des points de vue

— Qu'est-ce que tu fais ici?

Dédé est assis dans le vieux fauteuil de l'agence, un bocal sur les genoux.

— Je vous attendais. J'ai une découverte bizarre à vous montrer, répond-il à Agnès.

Elle dépose son sac à dos et s'installe près de lui.

— Écoute, Dédé, on n'a pas vraiment le temps, aujourd'hui. Tu sais que Jocelyne a disparu? Oui. Bon. On va essayer de la retrouver de notre côté.

— Mais…

John s'approche:

— Dans une enquête, chaque minute compte. On regardera ta volaille une autre fois.

Agnès et Dédé se tournent vers John, des points d'interrogation dans les yeux.

— Bon, ce n'est pas volaille… Euh… Muraille? Travail? Une découverte, ça finit par «aille»!

— Trouvaille, John, le reprend Dédé. Dans une enquête, il ne faut rien négliger, même quand ça semble être sans rapport.

«Voilà un bon argument, hi, hi!» pense Dédé, qui ne croit pas du tout qu'il y ait un lien entre sa découverte et Jocelyne.

Avec un peu d'impatience, Agnès soupire:

— D'accord, montre-nous ça.

Dédé dépose son bocal, l'ouvre.

— C'est juste un grain de sable, dit John.

Dédé lui tend une loupe.

— C'est une grenouille! C'est la première fois que j'en vois une si petite.

Il refile la loupe à Agnès qui examine la trouvaille de Dédé à son tour:

— À part la taille, qu'est-ce qu'elle a de spécial?

— C'est justement ça. Sa taille. Ça n'existe pas, une grenouille si petite!

Agnès referme le bocal troué d'entrées d'air.

— Eh bien, tu viens d'en découvrir une. Bravo. Maintenant, laisse-nous travailler, veux-tu? On regardera tout ça plus tard.

Elle le pousse doucement dehors.

— Je peux peut-être vous aider à trouver des indices? Je suis bon, vous en avez la preuve! continue Dédé avec espoir.

— C'est trop dangereux. Et puis retourne chez toi, avant que ta mère s'inquiète.

— On le raccompagne, Agnès, on ne sait jamais.

En marchant vers la maison de Dédé, John et Agnès discutent.

— Donc, Denis Desouris cherchait son serpent, c'est sûr, dit Agnès.

— J'en ai attrapé un pareil, les mêmes couleurs, tout, mais minuscule, intervient Dédé.

Les deux inséparables ne l'écoutent pas.

— Les jumelles cherchaient aussi quelque chose. Sauf qu'elles n'ont pas vu ni ramassé le journal, poursuit John.

— Max Malo avait l'air de juste se promener, mais ses lunettes cachaient ses yeux.

— Alex Pauzé l'a ramassé, lui. Question: le journal est-il à lui ou l'a-t-il ramassé par hasard?

— S'il n'est pas à Alex, alors quelqu'un ne l'aurait pas ramassé par exprès, pour ne pas être vu.

— C'est une hypothèque.

— Une hypothèse, John, pas une hypothèque.

Ils arrivent chez Dédé. Une autre surprise les y attend. Quand elle le voit assis dans l'entrée de la remise, Agnès serre Notdog dans ses bras, l'embrasse:

— Tu es là! On t'a cherché partout!

En entendant son amie, Jocelyne saute de joie. Enfin! La libération est proche. Elle hurle de toutes ses forces le nom de ses amis.

John s'approche du chien.

— Allo, mon gros. Il faut que tu nous aides à trouver Jocelyne. Jocelyne! Tu comprends ça!

Il gratte avec vigueur les oreilles et le cou de Notdog. Ce qui fait tomber Jocelyne sur le sol humide de la remise. Elle gesticule, appelle.

— Il y a un drôle de bruit, ici, remarque Agnès. Ce doit être un insecte quelconque. Bon, on a bien fait de venir. Maintenant qu'on a Notdog avec nous, on va trouver Jocelyne, j'en suis sûre. Viens, Notdog.

Le chien le plus laid du village obéit et suit les deux inséparables. Après quelques pas, il s'arrête net.

«L'odeur de ma maîtresse a changé de place! Elle me suivait partout mais,

maintenant, elle est rendue derrière moi.»
Il rentre dans la remise, colle son nez au
sol et commence à chercher. «Elle n'est
pas loin…»

— Ici, mon chien! crie Jocelyne en
s'élançant vers lui.

Une autre voix couvre la sienne.

— Elle n'est pas ici, Notdog! Viens, ordonne John.

Il l'empoigne par le collier et sort.

Dédé suit et referme la porte derrière
lui, abandonnant Jocelyne à son sort.

* * *

— Qu'est-ce qu'on fait, maintenant,
John? demande Agnès.

— Je suggère qu'on aille à l'école.
Notdog pourra peut-être trouver une piste,
qui sait? Ce journal me chipote…

— Chicote, John, pas chipote. Moi
aussi. Mais l'école sera fermée.

— Il y a les jardins, la route, le stationnement. Notdog peut renifler tout ça.

Dédé marche à côté d'eux:

— J'aurais quand même aimé vous
montrer ma couleuvre à crocs.

— Une autre fois.

Qui veut entrer dans la peau d'un chien ?

Les inséparables remettent Dédé à sa mère pour s'assurer qu'il ne les suive pas. Puis ils reprennent la route du village. Sur les poteaux qu'ils croisent, ils voient des affiches avec la photo de Jocelyne et une promesse de récompense à qui la trouvera: n'importe quel article du dépanneur ou des bonbons gratuits à vie.

John poursuit la réflexion:

— Si je me souviens bien de ce qui était écrit dans le journal, nulle part il n'y avait de «je».

— C'est vrai! Ni de «nous». Ce qui signifie…

— Que cette OPÉRATION RAP peut être menée par une ou par plusieurs personnes, conclut John.

— On parle de revues scientifiques. Il s'agit donc d'expériences.

— Les jumelles Kessler sont des génies en chimie.

— À la deuxième page, on parle de retrouver l'animal. Denis Desouris a perdu son serpent et le cherche partout, remarque Agnès.

— Et si le journal appartient bel et bien à Alex Pauzé? Il ne l'a rendu à personne.

Et il n'a pas cherché à savoir qui l'avait perdu, constate John.

— On exclut tous les petits de «Nos amis les reptiles». Dans notre groupe, je ne vois personne d'autre car ils jouaient tous au ballon ce midi.

— Et Max Malo? Il était dans le jardin, lui aussi. Il a dit être un amateur de biologie. Expérience, animal, humain, ça pourrait décoller.

— Coller, John, pas décoller. Oui, mais QUELLE expérience? Et si on fabulait? Ce journal pourrait tout aussi bien ne pas être sérieux.

— Découverte, expérience, animal, humain; un serpent qui disparaît, Jocelyne qui disparaît… Il me semble que tout ça est lié.

— Tu as peut-être raison, mais comment?

Quand ils arrivent à l'école, ils sont surpris de constater qu'elle est ouverte. M. Bénage bougonne:

— Ils sont encore tous là! Si ça continue, on va m'obliger à coucher ici.

Chapitre IX

Les remises de l'archiduchesse ont-elles des brèches, des archigrosses brèches?

«Tiens, un chien. Hum, mieux qu'un serpent. Quelques gouttes devraient suffire. Avec la formule maintenant perfectionnée, ça devrait agir instantanément. Ça ne lui fera pas de mal.»

Sans savoir qu'il est observé, Notdog entre dans l'école, à la suite de John et Agnès.

— Salut, toi! Il est à vous? demande Max Malo en caressant la tête du chien.

— Non, à Jocelyne.

— Toujours pas de nouvelles? Non? Mais que fait donc la police? Si jamais je peux vous aider à chercher, je veux bien. (Puis, s'adressant à Notdog:) Hé, je gage que tu veux t'amuser!

Surgit Alex Pauzé:

— Des nouvelles? Aucune? Je peux peut-être me rendre utile. J'ai déjà vu ce chien… Il n'est pas très beau, je trouve.

— C'est Notdog, le chien de Jocelyne.

Au tour des jumelles d'apparaître et de demander en chœur:

— Alors? Rien? Si on peut vous aider… Oh! quel joli chien! Est-ce qu'on peut jouer avec lui cinq minutes? On ADORE les animaux!

Le mot JOUER fait partie des vingt mots qui constituent le vocabulaire complet de Notdog. Il bat de la queue, toujours prêt.

— Bon, d'accord, acquiescent John et Agnès. Juste cinq minutes, on a besoin de lui.

Les jumelles sortent avec Max.

Arrive Denis Desouris, accablé:

— Toujours pas de trace de la petite? Malheur! Je… je crois que… c'est ma faute…

— Pardon? lance Alex, aussi surpris que John et Agnès.

— Suivez-moi.

Ils pénètrent dans le local de Denis Desouris, qui ferme la porte derrière lui.

— Voilà. La vipère qu'il y avait dans cette cage a disparu.

— On le sait.

— Je… euh… je comptais essayer de la retrouver moi-même, car, euh… ma réputation est en jeu, voyez-vous… Je n'ai pas fait exprès… je ne comprends pas comment elle s'est retrouvée là…

— Comment elle s'est échappée, vous voulez dire? demande Agnès.

— Euh… oui… euh… non… c'est-à-dire que la vipère enfuie n'était pas la bonne. Elles se ressemblent, vous comprenez, et je me suis trompé de cage. Je voulais les échanger en arrivant ce matin et… je me suis levé un peu en retard… L'autre vipère est dans cette boîte, là. Celle qui s'est enfuie est… euh… venimeuse.

— Oh non! s'écrient Agnès, John et Alex.

— Si votre amie n'a pas été retrouvée, j'ai bien peur qu'elle n'ait été mordue… Je dois avertir la police.

— Mais comment la vipère se serait-elle échappée? demande John.

— Je ne sais pas! La cage était verrouillée. Et le serpent était bien trop gros pour passer à travers le grillage.

— Attendez.

Alex Pauzé va dans son local et revient avec le journal.

— J'ai trouvé ça, ce midi. Il y a peut-être un lien.

Denis Desouris lit:

— Ça parle d'expériences et de grenouilles.

— Et de retrouver un animal, précise Alex.

— Ce journal n'est pas à vous? demande Agnès.

— Non, je l'ai trouvé au pied d'un arbre.

— Vous n'avez pas cherché qui en était l'acteur?

— L'auteur, John, pas l'acteur, souffle Agnès.

— Non, je… j'aurais dû, sauf que j'étais curieux… je voulais attendre la suite…

Agnès réfléchit:

— On a pensé à rapt, enlèvement, mais…

C'est John qui termine la phrase:

— Ça peut aussi être RAP pour «rape-tisser»!

Denis Desouris se met à trembler:

— C'est terrible! Si ce serpent a rape-tissé au point de pouvoir sortir, on ne le retrouvera jamais! Et il peut tuer!

— Notdog! lance Agnès. Il va nous ai-der.

Elle court le chercher.

Elle voit alors Max Malo sortir une bouteille d'eau de son sac, la déboucher et s'approcher de Notdog.

* * *

Pendant ce temps, dans la remise, Jo-celyne se décourage. Elle a exploré par-tout, cherché vainement une issue, une ouverture dans un mur, une fente dans le plancher, un espace sous la porte.

Péniblement, elle a réussi à grimper jusqu'à la petite fenêtre. La remise est un tel fouillis que des tas de boîtes, de gue-nilles et d'outils l'ont aidée dans son es-calade. Peine perdue, la fenêtre est collée par de la peinture.

La voilà sur l'établi où Dédé a déposé le bocal contenant sa couleuvre.

«Heureusement qu'il est bien fermé», pense-t-elle en voyant la tête démesurée du reptile. Il ouvre la gueule. Elle aperçoit les crocs. Elle recule, terrifiée.

À ce moment, la porte s'ouvre. Dédé vient jouer.

* * *

Agnès assiste à la scène la plus étrange du monde.

Max est avec Notdog dans un coin retiré et n'a pas remarqué Agnès qui s'approche. Il verse quelques gouttes d'eau dans la gueule ouverte du chien. Quelques secondes après, Notdog rapetisse à vue d'oeil.

Saisie un instant, Agnès comprend ce qu'elle vient de trouver. Elle accourt.

— Qu'est-ce que tu as fait à Notdog?

Max, qui se croyait seul, se met à bafouiller:

— Rien, je…

— Rien? Notdog a la taille d'une souris et tu dis «rien»?

À côté d'elle, Notdog sautille et jappe avec une toute petite voix. Soudain, pouf! Il reprend sa taille. Comme si on gonflait un ballon.

— Tu vois, il n'a rien.

Agnès éclate:

— Et la vipère, elle? Et mon amie, elle?

— Je vais t'expliquer.

— Tu vas t'expliquer devant tout le monde! Suis-moi.

Elle entraîne Max et rejoint les autres:

— Voici le coupable! (Elle saisit la bouteille d'eau et la dépose sur le pupitre.) Et voici quelque chose qui va vous intéresser.

Max se défend:

— Coupable de quoi? D'avoir réduit la vipère? C'était pour l'avancement scientifique! Je viens de faire une découverte fabuleuse! Ne vous inquiétez pas, la vipère retrouvera sa taille. Ce n'est pas si grave si elle s'enfuit dans la nature. Quant à la disparition de votre amie, je n'ai rien à voir là-dedans.

— Pas si grave? Mais le serpent est venimeux! lance Denis Desouris.

Max reste interloqué:

— Je croyais qu'il n'avait plus son venin... Si j'avais su, jamais je...

Agnès le coupe:

— Quand la vipère reprendra-t-elle sa taille?

— Je ne sais pas au juste. J'avais mis pas mal de potion dans son eau.

C'est alors que John devient tout blême:

— Dédé! Agnès, te souviens-tu que Dédé a voulu nous montrer sa couleuvre?

— Oui.

— Te souviens-tu qu'il a dit qu'elle était pareille au serpent à l'école?

— Oui. Et qu'elle avait des crocs! Vite!

«J'espère qu'on arrivera à temps!» pensent-ils tous en courant. Ils croisent les jumelles Kessler sur la route.

— Où allez-vous comme ça?

— Sauver un enfant! répond Max.

— On y va aussi!

Chapitre X
La langue de vipère

Dédé regarde sa grenouille à la loupe. Il parle à la couleuvre.

— C'est peut-être un coup monté par des terroristes. Ils ont lâché des millions de grenouilles microscopiques partout dans la région. Pour que les enfants ne puissent pas les trouver et passent des vacances plates.

Jocelyne se rend sous la loupe. Elle fait de grands signes à Dédé. Il recule, rapproche la loupe. Il se frotte les yeux.

— Jocelyne?! Qu'est-ce qui t'est arrivé? Tout le monde te cherche!

Jocelyne crie le plus fort qu'elle peut:

— N'ouvre pas le bocal de la couleuvre!

— Quoi? La couleuvre? Je vais te la montrer si tu veux.

— Non!

Juste à ce moment, pouf! La grenouille reprend sa taille normale. Pouf! Jocelyne reprend sa taille normale. Elle se retrouve assise sur l'établi devant Dédé.

— Dédé! J'ai eu tellement peur pour toi!

— Pour moi?

— Oui, ta couleuvre n'en est pas une, c'est...

Pouf! Dans un bruit d'éclats de verre brisé, la couleuvre reprend elle aussi sa taille en tombant par terre.

Étourdie quelques secondes, elle retrouve ses sens et se dresse, menaçante.

— Ne bouge pas, Dédé! C'est un serpent venimeux.

Jocelyne lit la terreur dans les yeux du petit garçon qui réalise que sa «couleuvre» aurait pu le mordre plusieurs fois depuis qu'il l'a attrapée.

Jocelyne cherche comment se sortir de là. Le serpent est entre eux et la porte. Elle n'a pas appris à faire face à ça. À un ours, oui, on fait du bruit, on crie, on fait la morte. Enfin, c'est ce qu'on lui a dit. Mais face à un serpent?

La porte s'ouvre bruyamment.

— Attention! hurle Jocelyne.

Personne n'a le temps de voir quoi que ce soit, sauf Notdog. À lui non plus on n'a pas appris à chasser le serpent. Mais le chien le plus laid du village a l'instinct le plus développé du village, et peut-être du monde, quand il s'agit de défendre sa maîtresse.

Il bondit sur la vipère, l'attrape juste sous la tête et serre la gueule. Le serpent

Qui veut entrer dans la peau d'un chien ?

se défend, se tortille, déploie toute la puissance de son corps musclé pour s'extirper de l'emprise du chien. Notdog tient bon.

Denis Desouris enfonce une guenille dans la bouche du serpent. Il déniche une boîte solide, une paire de longues tenailles dans un coin, saisit l'animal dans la gueule de Notdog, le jette dans la boîte et la referme solidement.

Pendant un instant, tous restent sans voix et figés. C'est Dédé qui rompt le silence.

— Attends que je raconte ça à ma mère!

— Attends! dit Agnès.

Dédé est déjà parti.

Sa mère venait justement de sortir de la maison pour voir ce qui se passait. Deux minutes plus tard, elle tombe dans les pommes.

Chapitre XI
Opération D:
dénouement,
dépanneur, détectives

Quand Édouard Duchesne a vu Jocelyne pousser la porte du dépanneur, il a carrément sauté par-dessus son comptoir pour aller la serrer dans ses bras. Sa nièce est devenue sa fille, son trésor et la douceur dans son coeur.

Maintenant, ils sont tous là: Agnès, John, Dédé, sa mère, Alex Pauzé, Max Malo, Denis Desouris, les jumelles Kessler, le chef de police.

— Nous, on cherchait des indices pour trouver Jocelyne, expliquent les jumelles, toujours en choeur. On voulait la récompense.

— Faites le tour et choisissez ce qui vous plaira! dit Édouard, qui donnerait tout ce qu'il a tellement il est heureux.

Le chef se tourne vers Denis Desouris:

— Êtes-vous certain que ce serpent est en lieu sûr?

— Oui, chef. Je le rapporte dès ce soir. Et je lui enlève ses poches de venin.

Max s'approche de Jocelyne:

— Je suis vraiment désolé de ce qui t'est arrivé. Je suis coupable malgré moi. Mais comment as-tu eu accès à ma potion?

— Dans le local des reptiles. J'avais soif.

— Oh! c'est toi qui es entrée? Je versais la potion dans l'eau quand j'ai entendu quelqu'un venir. Je me suis caché et je ne pouvais rien voir.

Le chef s'avance vers Max:

— Jeune homme, on ne s'amuse pas à tester sur les autres ce qu'on concocte chez soi!

— Oui, répond Max, piteux.

— Mais tu as fait une sacrée découverte! Tu seras la gloire de la région! enchaîne le chef, tout fier.

Alex soupire:

— Je fais des sciences depuis des années. J'aurais tellement aimé découvrir quelque chose, n'importe quoi.

— Tu pourrais m'aider à inscrire et à présenter ma découverte. Je ne sais pas comment faire. Et puis, oh! ma bouteille! Dans l'énervement, je l'ai laissée sur le pupitre.

— On va la récupérer tout de suite, dit Alex. Et c'est sûr que je vais t'aider, champion.

C'est alors que les jumelles les rejoignent:

— On a choisi. On a trouvé ça au fond du magasin, dans une boîte. Il y en a trois autres pareils.

Dans les bras d'une des jumelles, un minuscule chaton noir et blanc.

— Oh, la chatte a eu ses petits! s'émeut Jocelyne, qui caresse le chaton du bout du doigt, imitée par tout le monde.

«Et moi? Je n'ai droit à rien? Une caresse? Une récompense? Après tout, j'ai sauvé la vie de quelqu'un! Tassez-vous, les mangoustes», pense Notdog, qui s'affale par terre en soupirant.

Jocelyne se penche vers lui, comme si elle avait lu dans ses pensées:

— Mon bon chien! Je t'aime! Tu sais, tu es encore plus rapide qu'une mangouste! Un vrai héros. Que dirais-tu d'une crème glacée?

Notdog se lève d'un bond.

— Et d'un bain antipuces?

«Quoi?»

Le petit Dédé Lapointe tire sur la main d'Agnès:

— Est-ce que vous me prenez avec vous à l'agence Notdog, maintenant?

Agnès consulte John:

— Qu'est-ce que tu en penses?

John lui tend la main:

— Bienvenue dans notre équipage!

— Équipe, John. Mais équipage est tout aussi bon, dit Agnès.

Pendant ce temps, à l'école, M. Bénage range le laboratoire. «Eh! que j'ai chaud. Tiens, une bouteille d'eau sur le pupitre.»

Il en boit trois grosses gorgées.

Sylvie Desrosiers

L'HÉRITAGE
DE LA PIRATE

Illustrations
de Daniel Sylvestre

la courte échelle

Chapitre I
La vie qui sauve la vie

Antilles, 1720

Étant donné les méfaits accomplis par les pirates du JOLLY ROGER, *soit les exécutions, les attaques, les abordages et les pillages, le capitaine Rackham le Rouge ainsi que tous les pirates du bateau sont condamnés, sur ordre de Sa Majesté le roi d'Angleterre, à être pendus haut et court jusqu'à ce que mort s'ensuive.*

Quant aux deux flibustières et acolytes de Rackham le Rouge, Mary Read et Anne Bonny, créatures sanguinaires et sans morale, elles sont aussi coupables. Mais à cause de leur état de grossesse, et par respect de la vie à venir, les deux femmes ne seront pas pendues.

Ainsi en a décidé la cour en ce jour du 16 novembre 1720.

Les pirates du *Jolly Roger* furent donc pendus; Mary Read et Anne Bonny, libérées. Mary, atteinte de fièvres tropicales, ne survécut que quelques semaines. Quant à Anne, on perdit sa trace. On raconte qu'elle emporta avec elle, outre son bébé, un trésor dont elle était la seule à connaître l'existence.

Chapitre II

Qui a eu cette idée folle, un jour, d'inventer l'école… de dressage?

Octobre est le mois des couleurs. Et ce charmant village des Cantons de l'Est est encore plus charmant lorsque les arbres ont viré à l'orange, au rouge et au jaune. Ce congé de la fin de semaine de l'Action de grâce est d'ailleurs un des moments les plus attendus par les touristes, qui accourent en grand nombre.

On déambule dans le village, où les boutiques de confitures et d'artisanat local font des affaires d'or. Tout le monde se la coule douce. Tout le monde, sauf les membres du célèbre trio des inséparables, Agnès, John et Jocelyne, sans oublier Notdog, connu comme étant le chien le plus laid du village.

Dans le salon du bungalow qu'habite Agnès, la jolie rousse qui porte des broches*, John et elle sont plongés dans des livres et des notes recueillies sur Internet.

— Un travail la fin de semaine d'un long congé! se plaint John. Si on m'avait dit que ce serait ça, le secondaire, j'aurais troublé ma sixième année!

— Doublé, John, pas troublé, le reprend Agnès comme elle le fait chaque fois que le garçon fait des fautes de français. Tu exagères un peu. Un travail sur les pirates, c'est quand même plus intéressant que de la géométrie.

John étale ses notes et remonte ses lunettes.

— Sur son navire, l'*Adventure Galley*, le capitaine Kidd et son équipage vont attaquer de nombreux bateaux et amasser une fortune considérable. Kidd sera pendu à Londres en 1701. Son corps enchaîné et enduit de goudron sera accroché au gibet, et la corde se brisera. Il faudra le pendre deux fois. Beurk!

* Appareil orthodontique.

Agnès tient un livre.

— «Roche Brasiliano était ivrogne et cruel. Lorsqu'il capturait des prisonniers, ce sinistre pirate les faisait brûler sur un bûcher pour asseoir son autorité sur ses compagnons.» Abominable. Dis donc, j'espère que Jocelyne s'est occupée de sa partie de la recherche.

— Je ne suis pas certain. Elle pense juste à l'école de tissage!

— Dressage, John, pas tissage.

En effet, non loin de là, une école de dressage vient d'ouvrir. En ce moment, Jocelyne, une jolie brunette de douze ans, y donne des ordres à son chien.

— Au pied, Notdog, au pied.

«Seigneur des chiens! songe Notdog. Comme si j'avais besoin d'être dressé! Est-ce que je ne fais pas déjà tout ce qu'elle me demande? Chercher, courir, jouer, dormir, m'asseoir, ce n'est pas assez? Au pied! Depuis quand il faudrait que je marche le museau au niveau de ses genoux? J'ai toujours couru devant...»

Bien sûr, Jocelyne n'entend rien des pensées de son chien. Elle s'applique avec d'autres élèves à essayer d'inculquer un peu de discipline à son animal préféré.

Elle écoute attentivement les leçons de M. Jack Russell.

— Vous ne devez pas laisser le chien vous dépasser!

Jocelyne se penche vers son chien, qui lui lance un regard misérable.

— Ah non! n'essaie pas de faire pitié! Ça ne fonctionne pas. C'est pour ton bien. Le plaisir de marcher ensemble au même rythme. Oui, d'accord, c'est un peu nono.

Devant elle, M. Russell continue sa leçon, tenant en laisse un doberman imposant, sans expression, le genre de chien

que les autres races appellent avec respect «patron».

— Si votre chien n'obéit pas à l'ordre «viens», vous n'avez pas de chien.

Jocelyne regarde Notdog. Il répond seulement quand il veut bien au commandement «viens». Elle a pourtant l'impression que son chien l'aime.

La leçon d'aujourd'hui se termine et Jack Russell va d'un chien à l'autre, distribuant caresses sur la tête et «beaux chiens» à tous les élèves. Une fois près de Notdog, M. Russell hésite une seconde et le gratifie d'un «bon chien», ce qui pique un peu l'orgueil de Jocelyne.

Pour Notdog, ça ne veut rien dire. Les chiens ne sont ni beaux ni laids. «C'est comme les chats, pense-t-il, ils ne sont ni beaux ni laids. Ils sont simplement cruels.»

— Mademoiselle, le collier de votre chien est trop lâche. Il pourrait l'enlever lui-même.

— Si le collier est plus serré, il va s'étouffer, proteste Jocelyne.

— Mais non. Il faudra le resserrer.

Jocelyne se dit qu'elle ne le fera jamais. Puis, le dresseur se penche vers Notdog.

L'héritage de la pirate

— On va organiser une chasse au trésor. Tu vas aimer ça, mon toutou.

— Une chasse au trésor? Dans le cours?
s'étonne Jocelyne.

— Oui. Pour évaluer le flair de votre
chien.

— Super!

Notdog n'a pas l'enthousiasme de sa
maîtresse. «Comme si mon flair avait
besoin d'être évalué! Il me semble avoir
fait mes preuves», marmonne-t-il. Parce
qu'il aime contenter sa maîtresse, il marche au pied en direction du restaurant Steve
La Patate, où ils ont rendez-vous avec
John et Agnès.

Lorsqu'ils arrivent devant la porte,
deux surprises les attendent.

La première: cinq motos chevauchées
de personnages dignes des plus classiques
histoires de pirates: tous laids, sales et ne
sachant visiblement pas que le peigne a
été inventé depuis belle lurette. Leur chef
est nul autre que Bob Les Oreilles Bigras,
le voyou du village, motard de service et
ennemi juré des inséparables.

La deuxième est un écriteau collé dans
la fenêtre et sur lequel on peut lire en
lettres inégales: INTERDIT À NOTDOG.

Chapitre III
Peut-on dresser
un motard?

Chez Steve La Patate, Steve arrive à peine à cuisiner les commandes des clients trop nombreux. Poutine, son perroquet, crie à tue-tête, ravi de cette foule de spectateurs.

— Tout le monde dehors! La graisse des patates frites est trop vieille! Un hot dog moutarde-ketchup, et que ça saute! Oh! Figaro, Figaro, Figaro, oh, oh!

Jocelyne entre en trombe. En colère, elle va voir Steve derrière son comptoir.

— Ça veut dire quoi, interdit à Notdog?

Gêné, Steve se retourne vers elle.

— Je n'ai pas eu le choix, Jo. Le règlement municipal interdit les animaux à l'intérieur. Et il y a eu une plainte.

— Quoi? Qui s'est plaint?

Steve montre un des motards dehors.

— Bob? Attends une minute!

Elle sort au moment où John et Agnès arrivent à leur rendez-vous.

— Bob Les Oreilles Bigras! C'est quoi, ton problème?

Le motard regarde Jocelyne, amusé. Pour impressionner ses amis, il y va de son rire le plus gras.

— Mon problème, c'est que je suis maintenant allergique aux chiens. Et comme je mange régulièrement chez Steve…

— Tu pourrais aller ailleurs, lance Agnès.

— C'est lui qui fait la meilleure poutine. Hein, les gars?

Les amis de Bob opinent de la tête et grommellent quelque chose d'inintelligible.

— Ils sortent d'où, eux autres? D'un centre de dentition? demande John.

Silence et point d'interrogation sur chacun des visages balafrés. Agnès murmure à l'oreille de John:

— Centre de détention, John, pas de dentition. Surtout à voir leurs dents...

Bob prend des airs de noble en s'adressant aux inséparables:

— Je vous présente mes amis d'école.

— Tu es allé à l'école? s'étonne Agnès.

— Oui, madame, au primaire, long-temps à part ça. J'y suis resté jusqu'à seize ans. J'étais dans la même classe que Ti-Guy Bacon, Barbe Verte, Gomme Balloune et Mom Moucher, ici présents. On s'est organisé une rencontre d'anciens de la sixième année. On fait un concours de menteries, ça vous intéresse?

Les inséparables ne sont évidemment pas intéressés, habitués aux mensonges de Bob, qui ment comme il respire. Mais une réunion de Bob et de ses acolytes, ça n'augure rien de bon.

Tout ce temps, Notdog est resté sage-ment assis près de Jocelyne. Il se délecte des mille odeurs entourant les motards. «Huile à moteur, fumier, porc à l'ail. J'adore.»

Mais voilà qu'arrive le dresseur, Jack Russell, en quête d'un bon repas. Il se penche vers Notdog, qui se tient droit et les oreilles molles.

— Prêt pour la chasse au trésor?

Bob réagit vivement:

— Quel trésor?

— C'est entre le chien et moi.

Jack Russell disparaît chez Steve. Jocelyne explique à John et à Agnès:

— C'est un exercice de l'école de dressage. Par contre, il faut que je vous parle du trésor d'Anne Bonny.

Ils s'éloignent, pendant que Bob rumine.

Non loin de là, à la bibliothèque municipale, une femme toute menue porte une drôle de tenue: pantalon et chemise aux manches bouffantes. Elle consulte les registres des naissances, les ouvrages de généalogie, les recensements, les cartes du village. Son épaule gauche cache un tatouage: une reproduction du vaisseau de pirates le *Jolly Roger*.

Chapitre IV
Quand Notdog joue aux cartes, ça brasse!

Il existe, un peu en retrait du village, une auberge datant du XVIIIe siècle qui fut jadis très fréquentée: le Pirate Maboule. L'installation d'une porcherie à proximité a sonné le glas de ce haut lieu touristique. Les propriétaires ont donc fermé l'établissement et ont déménagé près de la mer, à Shippagan, au Nouveau-Brunswick.

La bâtisse fut abandonnée, devenue invendable à cause des odeurs. Mais elle n'est pas inhabitée pour autant.

Dans le salon niche aujourd'hui une famille de ratons laveurs. Dans la cuisine, une belette pas sociable du tout. Dans les chambres, autant de mulots que de chauves-souris. Et un peu partout traînent de minuscules carcasses de bêtes variées, décédées de causes naturelles ou après avoir rencontré le renard qui visite les lieux régulièrement.

Bref, un paradis pour un chien en quête de paix ou de désennui.

C'est ici que Notdog a fui, après que sa maîtresse l'a laissé dehors, sur le perron du dépanneur de son oncle Édouard, en lui intimant cet ordre: «Reste!» Tout heureux d'être loin de l'école de dressage, il fouine dans tous les recoins.

«Voyons voir ce qui nous attend, pense Notdog. Une mouffette est passée par ici il y a... six jours et demi. Là, des écureuils ont caché leurs réserves. Ah! une planche qui a cédé. Un chevreuil, sans doute, a mis les pattes là.»

Notdog colle son museau au sol. Un nouveau trou dans le plancher signifie plein de nouvelles odeurs à découvrir. «Ça sent surtout le moisi... Qu'est-ce que c'est ça?»

De l'espace sombre et humide, Notdog extirpe un étui de cuir. Quand il trouve un objet inusité, il a l'habitude de l'apporter à Jocelyne. Elle l'accueille toujours avec des cris de joie, des caresses et, parfois,

L'héritage de la pirate

avec une gâterie, comme les délicieux biscuits contre la mauvaise haleine qu'elle a commencé à lui donner.

Il y a bien une petite bourse dans le même trou mais, finalement, Notdog opte pour l'étui qui sent pas mal plus fort. Et le voilà reparti, tenant dans sa gueule son cadeau bien moisi.

* * *

Dans la chambre de Jocelyne, les inséparables rêvent d'écus et de doublons. Jocelyne rapporte ce qu'elle a découvert sur les femmes pirates.

— Vous vous rendez compte? On n'a jamais retrouvé Anne Bonny, ni son trésor, ni son enfant.

— Un trésor à trouver! Dommage qu'on habite si loin de la mer des Carabines! soupire John.

— Caraïbes, John, pas carabi… le corrige Agnès.

Elle est interrompue par Notdog qui monte les marches avec un bruit étonnant pour un chien de petite taille. Il dépose l'étui de cuir aux pieds de Jocelyne, puis la regarde fièrement. «Ça ne vaut pas un biscuit, ça? Deux biscuits?»

Jocelyne défait les cordons.

— Qu'est-ce que tu as encore ramassé dans les poubelles, toi?

Dans l'étui, il y a un vieux papier jauni. Elle le déplie avec précaution et l'étale sur le lit.

— Wow! Venez voir ça!

John et Agnès se penchent dessus. Devant eux se trouve une carte détaillée et marquée d'un X. À voir la tête qu'ils font, Notdog est persuadé qu'il aura trois biscuits.

Chapitre V
Qui veut jouer
au paquet voleur?

Les inséparables tournent délicatement la carte dans tous les sens. John la scrute et s'arrête sur une minuscule tache, dans le coin inférieur droit. Deux lettres: A. B.

— C'est signé, annonce-t-il.

Agnès l'inspecte à son tour.

— Ça nous donne au moins une indication sur le sens de la carte! D'habitude, on signe en bas à droite. A. B...

— Ça pourrait être André Boisvert, Alice Beausoleil, Ariane Blanchet, enfin, n'importe qui, remarque Jocelyne.

— Anne Bonny? lance John.

Les trois trouvent cette idée complètement folle. Les seuls pirates qui aient jamais abordé cette région loin de la mer sont ceux de l'équipe locale atome de hockey, Les Pirates de Montagne.

— Je crois que je sais, dit Jocelyne.

Dans son coin, Notdog attend toujours sa récompense. «Ça ne vient pas vite. Donc ce n'était pas assez.»

Il s'éclipse sans que personne s'en rende compte. Il descend l'escalier qui mène au dépanneur de l'oncle Édouard. Dès qu'un client ouvre la porte, Notdog est dans la rue et se dirige vers les ruines du Pirate Maboule.

* * *

Non loin de la porcherie, Bob a élu domicile. C'est l'endroit idéal pour lui, car personne ne met les pieds alentour, vu l'odeur insupportable. Cette puanteur n'incommode pas Bob, habitué à se sentir lui-même. Bercés par les grognements des cochons, Bob et ses amis viennent de commencer leur concours de menteries en s'empiffrant de crottes au fromage.

— Voulez-vous savoir comment ma barbe est devenue verte? demande le bien nommé Barbe Verte.

Tous répondent «NON!», ce qui n'est qu'un encouragement à continuer.

— C'est à cause d'un rhume qui a duré une semaine!

Il éclate de rire devant la moue de dégoût de ses amis.

— À mon tour, dit Ti-Guy Bacon. Vous ne me croirez peut-être pas, mais je vous jure sur le siège de ma moto que je suis né avec six orteils à chaque pied!

— Montre-nous! Montre-nous! lance le chœur de voyous.

— Je ne peux pas, parce que le sixième est tombé.

Silence.

— Pas fort, ton histoire, juge Bob.

Mom Moucher ouvre un sac de bonbons au caramel durs à se casser les dents. Ce n'est pas grave dans son cas, car il n'a plus de dents. Il en lance un en l'air, qu'il attrape la bouche ouverte. Après les applaudissements de ses congénères, il raconte:

— Vous savez qu'on me surnomme Mom Moucher parce que je me mouche tout le temps. Ce que vous ne savez pas, c'est qu'un jour j'ai trouvé un mouchoir magique!

— Ça sert à quoi, un mouchoir magique? s'informe Barbe Verte, qui pense en lui-même que c'est ce que ça lui prendrait.

— Il m'a demandé de faire un voeu.

— Tu ne lui as pas demandé de ne plus te moucher? dit Ti-Guy Bacon.

— Non. J'ai souhaité d'avoir toujours un mouchoir propre dans mes poches. Ça a marché. À moitié. Il n'est pas toujours propre, mais j'en ai toujours un.

Gomme Balloune, comme son nom l'indique, mâche sa gomme. Il a mis un paquet de six dans sa bouche.

— Moi, j'ai du sang bleu.

— Marine ou poudre? lance Bob avec un rire gras.

— Du sang bleu, ça signifie que je descends d'une famille royale. Je suis l'arrière-arrière-arrière-petit-fils de la cousine du roi d'une île, malheureusement engloutie, de la mer des Caraïbes. Je vais vous montrer ma tache de naissance.

Il roule la manche de sa veste de faux cuir, relève celle de son chandail rayé. Apparaît alors le dessin d'un bateau. À son mât principal flotte au gré des mouvements des muscles un drapeau de pirates avec une tête de mort. Il s'agit du *Jolly Roger*. Personne dans cette assemblée de cinq cerveaux, qui n'en totalisent qu'un,

et encore, ne le sait. Même pas Gomme Balloune.

— C'est un tatouage, ça, pas une tache de naissance! lance Bob. Tu vas perdre le concours de menteries, c'est certain. Qui t'a tatoué? Il est bon en titi.

— Aucune idée, répond Gomme Balloune, déçu de perdre si facilement.

— À mon tour, poursuit Bob.

Mais il s'arrête là. Il vient de voir passer Notdog. Tout seul. Ça lui donne l'envie de s'amuser un peu.

* * *

Pendant ce temps, au dépanneur, Jocelyne n'est pas contente.

— À quoi servent les cours de dressage si Notdog se sauve comme ça? Tant pis, on ira sans lui.

Ils se dirigent en vitesse vers la cour de l'école, où déjà maîtres et chiens sont attentifs aux directives du dresseur, Jack Russell.

— Souvenez-vous: le but est de trouver la carte que j'ai aspergée de ceci.

Il montre une fiole d'huile de morse que les chiens iront sentir avant le départ.

— Après, ce sera à vous, les maîtres, de guider votre chien, et à lui de trouver la carte. C'est une activité à deux, je le répète. Vous ne devez faire qu'un avec votre animal. Prêts? Partez!

Une belle pagaille s'ensuit, alors que le malamute obèse de Joe Auto renverse M. Russell en reniflant la fiole, qui répand son contenu par terre. Tous les chiens lèchent le sol et mangent de la terre et du gazon avant que les maîtres réussissent à les contrôler.

Une fois les chiens partis et le dresseur relevé, les inséparables s'approchent de lui. Jocelyne sort la carte de sa poche.

— Excusez-moi, monsieur Russell…

— Où est ton chien, toi?

— Justement, c'est à son sujet. Je pense qu'il a déjà trouvé la carte.

— Déjà? Mais il n'est même pas ici!

— Je sais, mais il l'a trouvée.

Elle tend la carte à Jack Russell.

— Dites-moi, qu'est-ce que signifient les lettres A. B.?

Le dresseur prend la carte et l'examine en silence.

— Merci. Merci beaucoup, les enfants. Vraiment, ce chien est exceptionnel.

Il tourne les talons et entre dans la cabane qui lui sert de bureau.

— Il n'a pas répondu à ma question, observe Jocelyne.

C'est alors que la grande Camille, de troisième secondaire, arrive avec son labrador chocolat.

— Il l'a! Il l'a!

Elle brandit un papier.

— Mon Batman a trouvé la carte!

— Excuse-moi, Camille.

Jocelyne lui enlève le papier des mains. Il s'agit bien d'une carte dessinée grossièrement. Et qui sent très mauvais. Les inséparables s'élancent vers la cabane.

Jack Russell est en train de photocopier la carte. Jo lui montre l'autre carte.

— Ce n'est pas plutôt celle-ci, votre carte?

Jack hésite une seconde, puis bafouille:

— Oh! je me suis trompé!

Il retire la carte de la photocopieuse, la rend à Jocelyne en souriant.

— Je ne vois pas clair, on dirait. Il me faudrait des lunettes. Désolé.

Il reprend sa carte.

* * *

À l'auberge le Pirate Maboule, Notdog renifle partout.

«C'est vrai que c'était juste un bout de papier. Pas très impressionnant. Si elle était comme moi, ma maîtresse, un petit quelque chose à manger et elle serait contente. Mais elle aime bien n'importe quoi aussi. C'est difficile de savoir ce qui va lui faire plaisir ou ce qui va lui faire très, très plaisir. Cherchons, cherchons...»

Il gratte le sol et enfonce son museau dans chaque trou, dans chaque fissure assez large. Rien.

Il sursaute à des bruits de pas qui approchent. Son instinct, qui ne le trompe jamais, lui dit de se cacher très vite. Il se dissimule derrière une porte. Il a bien fait.

Chapitre VI
Le féminin de voyou est-il *voyouze*?

Une femme vient d'entrer dans les ruines de l'auberge. Elle promène alentour un regard scrutateur et soupire.

De sa cachette, Notdog juge qu'elle n'a pas l'air menaçante. Il s'apprête à sortir au moment où, d'un grand sac, elle sort gants, lampe de poche, lunettes et pied-de-biche. À la vue de l'outil, il décide de rester à sa place.

Elle commence son inspection par la cuisine. Elle passe ses mains gantées dans les vestiges des armoires. Avec le pied-de-biche, elle soulève des planches du sol, faisant fuir les souris et les araignées.

Elle inspecte les tuyaux. Elle fouille les garde-robes, cogne sur les murs, attentive à un son particulier qui lui indiquerait la présence d'une cachette. Au lieu d'entendre la résonance du vide, elle sursaute quand une voix crie:

— Je l'ai vu entrer là, le chien laid! Venez, on va lui faire peur! lance Bob Les Oreilles Bigras.

— Pas trop, quand même, insiste Barbe Verte qui adore les chiens, tellement qu'il porte au cou le collier de son défunt *pitbull*.

Les cinq motards entrent. Notdog se terre dans sa cachette.

— Notdog! Viens voir ce que mon oncle Bob a pour toi!

Bob avance dans les décombres, un sandwich à la moutarde dans la main.

— Pitou! appelle Ti-Guy Bacon.

— Minou! appelle Mom Moucher.

Bob s'approche dangereusement de la cachette de Notdog. On entend alors:

— Tiens, de l'aide. Salut!

Surpris, les voyous détaillent le petit bout de femme devant eux, habillée en pirate. Bob ne s'y trompe pas. Il sourit de toutes ses dents cariées: il a reconnu en elle une jolie canaille, comme lui.

Ils s'installent dans l'ancien salon pour faire connaissance. Notdog en profite pour filer, non sans prendre au passage, entre ses dents, la bourse qui se trouve dans le même trou qui contenait l'étui de cuir.

«Ça ne se mange pas, mais bon. Jocelyne sera peut-être contente», songe-t-il en s'en retournant.

* * *

Chez Steve La Patate, les inséparables tournent la carte dans tous les sens.

— Où est-ce que ça peut bien être? se demande Agnès.

— La carte est vieille. C'est peut-être tout près, mais les choses ont changé dans les garages depuis cent ans...

Les deux filles regardent John.

— Les parages, John, pas les garages, dit Agnès. Mais tu es un génie!

— Allons voir les cartes anciennes à la bibliothèque, suggère Jocelyne. Il faut bien commencer quelque part.

À l'heure qu'il est, ils savent qu'on les attend pour le repas du soir. Ils se donnent rendez-vous à dix-huit heures trente.

En rentrant chez elle, Jocelyne retrouve son chien qui s'avance vers elle avec son paquet. «Cette fois, j'ai gagné», pense

Notdog en voyant les yeux écarquillés de sa maîtresse. En effet, elle entre dans le dépanneur de son oncle et ressort aussitôt avec une boîte de biscuits pour chiens. Elle lui en tend quatre.

— Tu vas me montrer où tu as pris ça, Notdog.

«OK. J'y suis déjà allé deux fois, mais pour le reste de la boîte, j'irai encore!»

Avant de partir, Jocelyne monte cacher la bourse dans sa chambre. Elle consulte à toute vitesse son encyclopédie. Puis elle redescend et lance à son oncle:

— Agnès, John et moi, on a rendez-vous ici, tantôt. Quand ils arriveront, veux-tu leur demander de m'attendre?

Édouard Duchesne opine de la tête, en collant des prix sur des cahiers à colorier. Il ne se doute évidemment pas du danger auquel sa nièce s'expose.

* * *

Ce n'est plus l'été; la nuit tombera donc assez tôt. Jocelyne espère que Notdog ne l'emmène pas trop loin.

Lorsqu'elle réalise que son chien se dirige droit vers l'auberge du Pirate Maboule, elle est soulagée. Sauf qu'à quelques pas de là elle entend la voix de Bob. Elle s'arrête. Où Bob se trouve, l'endroit est à éviter. Elle hésite, tiraillée entre la prudence et la curiosité de savoir ce qu'il fait à l'endroit où Notdog a trouvé la bourse pleine de pierres rouges.

Selon les photos de son encyclopédie, ces pierres taillées seraient des rubis. Elles sont trop brillantes pour être en plastique.

Jocelyne avance en silence vers l'ancienne auberge. Elle tient fermement le collier de Notdog et lui ordonne de rester assis derrière un pin géant. Déjà, elle peut distinguer la conversation qui se déroule à l'intérieur.

— C'est comme ça que j'ai quitté l'Acadie, raconte la femme.

— Mary Read, c'est un drôle de nom pour une francophone, remarque Bob, soupçonneux. Es-tu sûre que c'est ton vrai nom?

Jocelyne peut apercevoir les voyous entourant une femme qui proteste avec véhémence.

— Pourquoi est-ce que je te donnerais un faux nom? On ne se connaît même pas!

— C'est vrai, ça, pourquoi? demande

Gomme Balloune.

Barbe Verte allume le feu dans la che-
minée. Mom Moucher s'éponge le nez, ce
qui montre qu'il est en train de penser.

— Une fille qui se promène avec des
outils, qui défonce le plancher d'une maison en ruine et qui dit que c'est parce
qu'elle cherche un souvenir d'enfance
oublié par ses parents adoptifs, qui en plus
étaient les anciens propriétaires… Moi, je
dis que c'est probablement vrai, en fin de
compte.

— Peut-être, rétorque Bob. Mais on ne
fait pas le chemin de Shippagan à ici pour
retrouver un toutou mangé par les mites,

hein, Mary? D'après moi, ton toutou, il vaut pas mal cher. Je pense que tu es une vraie *voyouze*, comme moi.

Flattée, Mary sourit. Bob poursuit:

— Si j'étais un pirate, je te prendrais sur mon bateau!

Le sourire de Mary se fige.

— Pourquoi parles-tu de pirates?

C'est alors que Gomme Balloune, assis tout près du feu, enlève sa chemise. Et que Jocelyne voit son tatouage. Bob et Mary continuent leur conversation.

— Maintenant, la vérité, Mary.

Mary hésite, puis tend une perche:

— Est-ce que ça te dit quelque chose, Anne Bonny?

— J'ai entendu ce nom-là ce matin.

— Où? demande Mary en contenant difficilement son excitation.

— Tu ne le sauras pas tant que tu ne m'auras pas expliqué ce que tu cherches.

À ce moment-là, Gomme Balloune se lève.

— Je vais chercher plus de bois.

Ne voulant pas se faire repérer, Joce-lyne file en douce jusqu'à son chien. Lorsque Balloune sort, Notdog ne peut s'empêcher d'aboyer. Après tout, c'est sa tâche

de protéger sa maîtresse contre les êtres menaçants en jappant pour les effrayer.

Gomme Balloune sursaute. Il avance vers Notdog et Jocelyne qui n'ont plus le choix de déguerpir. Il se lance aussitôt à leurs trousses. Bob sort de la maison et, en criant, demande à son ami ce qui se passe.

— C'est encore le chien laid qui est là! répond-il. Il y a un enfant avec lui!

Bob s'élance à son tour.

* * *

Pendant ce temps, à la bibliothèque municipale, Jack Russell se confond tant bien que mal en excuses.

— C'est un malheureux accident!

La bibliothécaire, Maud Lepage, éponge l'encre que Russell a échappée sur la carte du village, qui date de sa création, en 1800. «Qu'avait-il besoin de remplir sa plume en débouchant son encrier sur la carte», pense-t-elle en essayant de sauver le précieux document.

Mais le mal est fait: la tache s'étend sur la carte et on n'y voit plus rien. Maud Lepage en pleure. Surtout qu'elle hésitait à prêter de nouveau cette carte, après la rudesse avec laquelle la femme inconnue l'avait manipulée.

Jack Russell s'excuse encore une fois et sort. Il s'éloigne en sifflant.

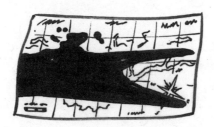

Chapitre VII
Roche, papier, ciseaux, allusions

Au dépanneur d'Édouard Duchesne, John et Agnès attendent Jocelyne depuis dix minutes. M. Duchesne est inquiet.

— Dis-moi, Édouard, commence John, de quand date le village?

— D'autour de 1800. Ça prenait du courage pour venir s'installer si loin. On voulait ainsi fuir quelque chose. La misère, par exemple…

— Fuir quelque chose, répète Agnès.

La porte s'ouvre avec fracas. Jocelyne entre, essoufflée. Notdog la suit, la langue pendante. Édouard se précipite vers elle.

— Qu'est-ce qui t'arrive?

— Il commençait à faire noir. J'ai eu peur que tu t'inquiètes, alors j'ai couru.

— Je me suis inquiété, oui. As-tu faim?

— Oui. Ne te dérange pas. Je vais me préparer un sandwich.

Les inséparables montent à l'étage à la course. Notdog, pour une fois, monte très, très lentement, épuisé.

* * *

John, Agnès et Jocelyne sont assis sur le lit de Jocelyne. Au milieu d'eux et prenant presque toute la place, Notdog essaie de dormir. Jocelyne raconte ce qu'elle a vu et entendu, et comment elle a réussi à se sauver de Bob et de son acolyte.

— J'ai pensé qu'en coupant à travers la forêt j'allais les semer. J'ai parié que Bob n'était pas assez intelligent pour utiliser la route et m'attendre à l'entrée du village. J'ai eu raison.

Les inséparables rient de bon coeur. Mais après que Jocelyne leur a conté la conversation dont elle a été témoin, il devient clair pour tous qu'elle était en danger. Bob essaierait certainement de lui faire raconter ce qu'elle sait de cette histoire de trésor.

— J'en sais beaucoup plus que vous croyez, leur dit-elle.

Elle leur montre la bourse contenant les pierres précieuses que Notdog a rapportée du Pirate Maboule, comme la carte.

— Voilà ce que cette Mary cherchait, en déduit Agnès.

— Et c'est relié à Anne Bonny! s'exclame John, réjoui.

— Dis donc, Jo, il a l'air de quoi, le tatouage de Gomme Balloune? demande Agnès.

— C'est un bateau.

John se lève et va à l'ordinateur de Jocelyne. Il l'allume, se connecte à Internet. Les filles s'approchent de l'écran. Des pages défilent.

— Là! lance John. Le *Jolly Roger.*

— C'est exactement le dessin des tatouages! constate Jocelyne. Et qui était pirate sur le *Jolly Roger*? Anne Bonny.

John tape le nom. Un document apparaît: FEMMES PIRATES CÉLÈBRES. Il ouvre le dossier et dans la liste apparaît le nom d'Anne Bonny. Et un autre: Mary Read.

Mary Read était un garçon manqué, toujours habillée en homme. Avec son mari auquel elle fut mariée trois ans, elle fonda une auberge en Angleterre. À la

L'héritage de la pirate

mort de son mari, elle s'embarqua pour les Antilles dans le but de faire du commerce. Capturée par des pirates, elle se joignit à eux. Avec Rackham le Rouge et Anne Bonny, elle devint la terreur des mers tropicales.

— C'est très intéressant, dit John.

— Examinons encore une fois la carte, propose Agnès.

— Je pense qu'on devrait aller la comparer, demain, avec de vieilles cartes à la bibliothèque, suggère Jocelyne.

Quant à Notdog, même s'il savait parler, il ne ferait aucune suggestion, car il dort profondément en ronflant.

Chapitre VIII
Le télésiège en folie

Le lendemain matin, dimanche, les inséparables se pointent à la bibliothèque dès l'ouverture, à dix heures. Ils demandent une carte du village, la plus ancienne possible.

— Encore? s'écrie Maud Lepage. La carte que nous avons est en partie ruinée.

— Il aurait vraiment fallu qu'on la voie… se désole Jocelyne.

— Allez voir Paul Aunais. Quand il vivait à Varsovie, il était cartographe. À son retour au village, il a passé bien des heures avec nos vieilles cartes. Peut-être qu'il peut vous aider. Mais vous ne le trouverez pas chez lui. Cette fin de semaine, il est au centre de ski. Il aide les gens à descendre du télésiège en haut de la montagne. Il dort au refuge pour trois jours.

Le trio remercie Maud. Par précaution, les enfants décident de photocopier leur carte. Avant de sortir, Agnès lance:

— Comment ça, la carte est ruinée?

— Le dresseur de chiens a échappé une bouteille d'encre dessus, hier.

Pour les inséparables, il n'y a aucun doute: le geste était délibéré.

Le télésiège ne fonctionnera qu'à partir de midi. John, Agnès et Jocelyne ont donc le temps qu'il faut pour aller sur le terrain repérer ce qu'ils ont identifié sur la carte. Notdog les suit en traînant de la patte.

— Qu'est-ce qu'il a, ton chien? demande Agnès à Jocelyne.

— Il n'est pas en forme. Ça arrive même aux chiens.

En marchant, elle se penche, caresse Notdog et le gratte derrière les oreilles. «Mmm. Ça, j'aime ça», pense-t-il.

— C'est bizarre, dit-elle. J'ai parfois l'impression que mon chien sourit.

Ils atteignent la rivière qui traverse le village. John déplie la carte.

— Logiquement, le trait qui zigzague est un cours d'eau. Le seul de la région est notre rivière.

Agnès met un doigt sur la carte.

— Le X, ici, à droite, marque ce qui a l'air d'une colline ou d'une montagne. Et, à droite de nous, il y a une… chaîne de montagnes. Laquelle est la bonne?

— Difficile de savoir où se placer exactement le long de la rivière pour avoir la bonne perspective, réalise Jocelyne. La personne qui a dessiné cette carte a été avare de détails.

— Difficile de savoir aussi si Jack Russell en sait plus que nous. Il a photocopié notre carte et a vu l'antenne.

— L'ancienne, John, pas l'antenne.

— Et comme l'école de dressage est fermée aujourd'hui, pas moyen de le joindre, conclut Jocelyne.

Jumelles au cou, elle scrute la région. Elle n'est pas la seule, car Bob Les Oreilles Bigras la regarde à travers ses jumelles à lui.

Contrairement à son habitude, Bob s'est levé tôt, laissant ronfler ses amis dans sa demeure près de la porcherie. Aujourd'hui, il va suivre les microbes, comme il appelle les inséparables. «Les microbes vont faire tout le travail et je n'aurai qu'à cueillir le trésor», songe-t-il.

Cependant, il y a cette Mary qui tait ce qu'elle sait. Ils doivent s'associer contre leur gré pour réussir la filature. Mais chacun a l'intention de rouler l'autre.

De son côté, Jack Russell a déjà fait ses observations et ses calculs. Et il attend patiemment midi en sirotant un thé au citron au centre de ski.

* * *

Ce dimanche du festival des couleurs ne peut pas être plus parfait: il fait un soleil joyeux et chaud. C'est la journée idéale pour une promenade en montagne, dans les feuilles craquantes qui couvrent les sentiers.

À midi, une file s'allonge déjà au guichet du télésiège. Les inséparables avancent lentement, attendant leur tour. Notdog les accompagne, bien sûr, mais une certaine inquiétude le titille.

«Je n'aime pas ça. Mon instinct me dit que j'aurais dû rester à la maison. Normalement, quand on vient dans le coin, on emprunte les sentiers. Aujourd'hui, c'est différent. Non, ça ne me dit rien de bon.»

Une autre file se presse devant l'embarcadère des télésièges. Jack Russell, avec une pelle pliable dans son sac à dos, est tout près de monter.

Dans le stationnement, une moto a fait, exceptionnellement, une entrée discrète. Bob et Mary attendent que les inséparables aient acheté leurs billets pour les suivre. Ils les voient au comptoir, puis se diriger vers le télésiège. Bob accourt avec sa complice et pousse sans ménagement la personne qui tendait son argent au préposé du guichet.

— Excusez, pardon. C'est une urgence. Deux billets, tarif réduit.

Le préposé connaît bien Bob; tout le monde connaît Bob.

— Je sais que tu as douze ans d'âge mental, Bob, mais c'est plein tarif pareil.

Insulté, Bob veut protester. Mary l'arrête et l'entraîne avec elle.

— Il n'y a pas de temps à perdre si on ne veut pas être semés par les jeunes! Laisse faire. Il n'a pas tort, pour l'âge mental… C'est ce qui fait ton charme.

Voilà le siège de Jocelyne, d'Agnès et de John. Ils doivent se mettre à deux pour soulever Notdog et le tenir fermement.

«Ce n'est pas vrai! Ils ne vont pas me faire monter là-dessus! Si j'ai quatre pattes, c'est pour être au sol, pas dans les airs!» Notdog geint et se débat. Sa maîtresse essaie de le rassurer d'une voix douce en s'assoyant sur le siège qui les emporte vers le sommet.

— Ça va, mon chien, ça va aller...

Notdog tremble. Il regarde en bas. «Oh! que c'est haut, trop haut pour que je saute!» Il halète nerveusement. Il regarde derrière. «Danger.» Il se met à japper.

C'est à ce moment-là que Notdog glisse entre le dossier et le siège, et qu'il se retrouve à moitié dans le vide. Des cris fusent de toutes parts. Le télésiège s'arrête d'un coup sec.

Tous les passagers tentent de voir ce qui cause le problème. Les pattes arrière de Notdog pendent et s'agitent dans les airs. Jocelyne tient son chien tant bien que mal par les pattes avant. Agnès le tire désespérément, pendant que John tend un bras pour atteindre le derrière du chien et lui donner une poussée. C'est quand il réussit qu'il aperçoit Bob.

Notdog lui glisse des mains. Agnès lève la tête, desserre son emprise.

— Pas lui!

Notdog est plus près que jamais de tomber dans le vide. Jocelyne se met à pleurer. Sa force alors décuple et elle parvient à tirer son chien tremblant vers elle.

— Maintenant qu'ils nous ont vus, il va falloir donner un grand coup, remarque Bob.

— Lequel a la carte, déjà? demande Mary, innocemment.

Bob lui lance un regard hautain.

— Qu'est-ce que tu disais sur mon âge mental? Je ne vais pas te répondre, ça c'est sûr.

Le télésiège se remet en marche. De sa

L'héritage de la pirate

place, Jack Russell a vu la scène. «Il faut que je sois plus rapide qu'eux», pense-t-il.

Dès son arrivée au sommet de la montagne, il court en direction de son but. Il est hors de vue lorsque les inséparables descendent du télésiège avec Notdog, à peu près paralysé. C'est un tout jeune homme qui les accueille.

— Peux-tu nous dire où est Paul Aunais?

— Dans le restaurant, je crois.

Ils filent à toute vitesse, faisant un détour pour semer Bob.

Quand Bob descend à son tour, il échappe sa clé de moto. Il laisse passer son siège, se penche, la ramasse, se relève, cherchant les inséparables des yeux. Il ne voit pas le télésiège suivant arriver et... l'emporter. Le temps qu'il réagisse, il est déjà trop haut dans les airs et n'a d'autre choix que de redescendre jusqu'en bas!

«Me voilà bien débarrassée», songe Mary.

Jack Russell suit sa carte. Mary Read suit son intuition. Bob suit le siège devant lui. Notdog suit ses amis. Et les inséparables suivent la flèche qui indique: RESTAURANT.

* * *

La montée est plus difficile qu'il pensait. Pourtant, Jack Russell puise en lui l'énergie nécessaire. Après tout, il y a un trésor au bout. Il y a longtemps qu'il fait des recherches, des Antilles en remontant la côte jusqu'à ce village perdu.

Bien sûr, il n'avait pas à ouvrir une école de dressage, mais n'est-ce pas grâce à un des chiens inscrits que la carte lui est tombée entre les mains? Jamais il n'aurait deviné qu'elle serait venue de ce chien-là: il avait l'air si idiot.

Voilà quelle est la teneur des pensées de Jack Russell, alors qu'il atteint, selon ses calculs, son but ultime. Sauf qu'il ne lui servira à rien de creuser ici: il n'y a, au sommet, qu'une immense, gigantesque roche qui mène de l'autre côté, dans le vide, tout simplement.

* * *

Les inséparables ont trouvé Paul Aunais en train de manger une soupe aux légumes bien chaude. Ils l'ont convaincu de les emmener dans les cuisines pour lui parler. Discrètement, Notdog a attrapé le pain à côté du bol et l'a avalé tout rond.

— Voilà, on voudrait que vous regardiez cette carte ancienne, commence Jocelyne en l'étalant sur la table. On pense qu'elle montre la région.

— Vous connaissez bien celle qu'il y a à la bibliothèque, aussi. Se ressemblent-elles? demande Agnès.

Paul Aunais n'hésite pas longtemps.

— Elles se ressemblent beaucoup.

— Alors, le X, ici, serait une de nos montagnes et peut-être même celle-ci. Est-ce que mon rayonnement est bon?

— Pardon? demande Paul Aunais.

— Il veut dire son raisonnement, hein, John? déduit Agnès.

— Exactement, répond John.

Paul Aunais étudie la carte avec minutie.

— Ton raisonnement est bon, mon garçon. Mais il est faux. Je vous explique.

Ils se penchent tous sur la carte. Et personne ne voit apparaître Mary Read. Elle se dissimule et écoute tranquillement la conversation.

— Voyez-vous, dit Paul Aunais, rien ne ressemble plus à une carte sur laquelle se

trouve une rivière entourée de montagnes qu'une autre carte montrant une rivière entourée de montagnes. Surtout dans cette région. Mais si on regarde de près, des détails diffèrent. Je connais bien la carte de la bibliothèque qui montre la rivière qui traverse le village. Cette rivière-ci n'est pas la même.

Les inséparables sont attentifs.

— Quand on demande à la bibliothécaire une carte ancienne du village, c'est toujours la même que Maud Lepage sort, soit celle qui ressemble au village actuel. Mais demandez-lui donc celle qui montre

l'ancienne rivière, qui est maintenant souterraine. On ne sait jamais.

— On n'a pas une minute à perdre!
lance John.

Les inséparables sortent en courant et
se précipitent vers l'embarcadère. Mary
les suit. Mais Notdog rebrousse chemin: il
refuse catégoriquement de remonter là-
dessus. Jocelyne doit le tirer de force.

— Désolée, mon chien, on n'a pas le
temps de descendre à pied.

Ils se mettent à trois pour tenir Notdog
qui se débat. Au moment où le siège arrive, il se résigne et se couche sagement
sur Jocelyne qui lui couvre les yeux des
mains.

Trois sièges plus loin, Bob arrive. Il
descend. Mary le prend par le bras et
l'assoit sur le siège suivant. Puis Jack
Russell apparaît et s'assoit à son tour. En
voyant les inséparables devant lui, il se dit
que tout n'est peut-être pas perdu.

Quant à Notdog, il vient de découvrir
que les chiens ont le vertige.

Chapitre IX
Points de repère et repaire de pirates

Maud Lepage sort d'un tiroir une carte conservée dans un étui de plastique. Elle la dépose avec précaution devant les inséparables.

— Celle-là date de 1700, bien avant la naissance du village. Voici notre rivière qui n'était qu'un ruisseau qui s'est élargi avec le temps. Ici, vous avez une rivière asséchée depuis longtemps. Une partie en était souterraine.

La porte principale s'ouvre sur quelques clients du dimanche qui viennent chercher ou rapporter des livres. Jack Russell a attendu ce moment pour entrer lui aussi. Il se fond dans le petit groupe et se dissimule derrière un rayon de livres. La bibliothécaire s'excuse auprès des enfants et va au comptoir, vers les abonnés.

Les inséparables sortent leur carte et la comparent avec celle de Maud.

— Si notre carte correspond à celle-ci, le X est situé où? demande Agnès.

— Par rapport à notre rivière, l'ancienne passe ici, ce qui semble être à la sortie du village, continue Jocelyne.

— Si c'était ça, il devrait y avoir une montagne ou une colline sous le X. Mais il n'y a pas de montagne aux mites du village, conclut John.

— Aux limites, John, pas aux mites, le reprend Agnès. Rien ne correspond. On s'est imaginé une histoire, soupire-t-elle.

Maud Lepage revient vers eux.

— Vous voyez, ici, cette colline? Elle a été rasée, imaginez-vous!

Les inséparables la regardent avec des points d'interrogation dans les yeux.

— Rasée, je vous dis. Pour implanter la porcherie, parce qu'autour ce sont des terres agricoles. Mon Dieu, vous êtes donc pressés, tout à coup!

Les inséparables filent déjà en vitesse. Ils disparaissent dehors, où les attend Notdog, qui pique un somme de chien passablement ébranlé.

Maud Lepage range la carte avec précaution, quand Jack Russell s'approche.

— Je peux voir?

— Seulement si vous me promettez de ne pas toucher! Vous n'allez pas me ruiner celle-là!

Elle reste à le surveiller, juste au cas. Lui aussi compare cette carte à la sienne.

Les inséparables et Notdog passent chez Jocelyne, puis vont directement à la porcherie.

Jack Russell aussi.

Mary et Bob, qui les suivent, ne savent pas encore qu'ils se dirigent tout droit chez Bob.

Chapitre X
Le fffflair de Notdog

Chez Bob, Gomme Balloune, Ti-Guy Bacon, Barbe Verte et Mom Moucher prennent un peu de soleil.

— Moi, je pense que Bob et Mary sont partis se marier, lance Gomme Balloune en faisant éclater sa bulle géante.

— Ouais, il y a quelque chose entre eux, c'est sûr. Aïe! continue Ti-Guy en se coupant un doigt.

— Ce n'est pas très poli de nous abandonner sans un mot, ajoute Barbe Verte en se mouchant dans ses doigts.

— La bienséance se perd, conclut Mom Moucher en jetant son mouchoir par terre.

Le purin sent très fort, aujourd'hui. C'est en se bouchant le nez que les inséparables arrivent en vue des quartiers de Bob. Agnès s'exclame:

— On avait oublié les amis de Bob.

— Je suggère d'aller les voir et de leur dire que Bob les attend au village, propose John. J'irai.

— Pendant ce temps, on cherche, poursuit Jocelyne. Mais ne pas savoir où est Bob m'inquiète.

— Raison de plus pour se dépêcher, lance Agnès. Bonne chance, John.

Le garçon s'avance vers le groupe des anciens de sixième année en sifflotant, les mains dans les poches. Un peu nerveux, il espère qu'ils le croiront, car ils n'ont pas des têtes trop, trop rassurantes.

— Salut!

Ti-Guy Bacon se lève.

— Salut. Qu'est-ce que tu fais ici?

— C'est Bob qui m'envoie. Il veut que vous alliez le rejoindre chez Steve La Patate.

— Pourquoi est-ce qu'il n'est pas venu lui-même, hein? demande Barbe Verte, méfiant.

— Je ne sais pas, ça avait l'air secret.

— Je gage qu'il nous attend devant une poutine de mariage! rigole Gomme Balloune. Est-ce qu'il était avec une femme?

— O… ui. Une belle, à part ça.

— Ça ne peut pas être Mary, ça... soupçonne Mom Moucher.

— C'est elle. J'ai entendu son nom. Bob dit de vous dépecer!

Les amis de Bob se regardent sans comprendre.

— D'aller vite.

Ils partent à rire.

— Elle est bonne, celle-là! Se dépecer! Ça arrivera peut-être un jour, mais pas aujourd'hui, s'esclaffe Barbe Verte. On y va!

Ils enfourchent leurs motos, démarrent et prennent la direction du village. John soupire de soulagement.

Jocelyne fait renifler à Notdog tout ce qu'elle a en main pour aider son chien: la carte, l'étui de cuir et la bourse qui contenait les pierres.

— C'est quasiment impossible. Mais cherche, Notdog.

«Ça ne sent pas grand-chose par rapport aux cochons, ça.» Qu'à cela ne tienne, un ordre est un ordre, et Notdog part, nez à terre.

* * *

Les quatre motards ne sont pas allés bien loin; ils sont tombés sur Bob et Mary.

— Vous n'êtes pas en train de fêter vos noces? demande Gomme Balloune.

Le regard de dégoût de Mary ne laisse pas de doute quant à ses sentiments pour Bob. Cette idée apparaît aussi complètement farfelue à Bob, qui n'en est pas moins blessé de la réaction de Mary.

— Je vais vous expliquer ce qu'on faisait. D'après moi, on va avoir du plaisir.

Pendant que Bob raconte, non loin de là, Jack Russell attend pour emprunter à son tour le chemin qui mène chez Bob.

* * *

«Il y a tellement d'odeurs répugnantes et puantes! Notdog n'a pas la tâche facile», se décourage Jocelyne.

Elle ne sait pas que Notdog s'amuse comme un fou. Il va de tous les côtés, le museau frétillant. Le voilà qui se dirige résolument vers le réservoir à purin, qui est à ciel ouvert. Les inséparables le suivent, le coeur battant.

Une fois à côté du réservoir, Notdog va et vient. Il a le museau couvert de terre. Il halète, s'excite, revient sur ses pas et décrit une spirale qui rétrécit sans cesse.

Enfin, il s'arrête devant un enclos où une truie allaite six petits cochons roses. Il se met à creuser le sol.

— Bravo, Notdog! Tu es un bon chien! s'écrie Jocelyne.

— On pourrait peut-être l'aider…

Bob arrive avec ses cinq amis et autant de pelles.

Chapitre XI
Le trésor d'Anne Bonny

Les inséparables regardent avec étonnement ces adultes se transformer en créatures mi-humaines, mi-animales, certains creusant le sol avec leurs mains. Sauf Mary et Bob, qui ont ligoté les enfants et attaché Notdog à un arbre.

— Ça va te coûter cher, Bob, dit Agnès.

— Si tu penses que je vais vous laisser avertir la police ou je ne sais pas qui, tu te trompes. Vous serez relâchés seulement quand on sera loin avec le trésor.

— En piraterie, on se débarrasse normalement des témoins… insinue Mary.

Bob ricane:

— Si on était sur un bateau, on les ferait avancer sur une planche au-dessus de la mer et puis plouf! dans l'eau! Plus de microbes!

— Que dirais-tu de plouf! dans le purin? suggère Mary.

À ce moment-là, les inséparables prennent peur. Bob aussi. Il trouve soudain sa *voyouze* peu rassurante.

— Tu sais, Bob, moi, je ne ferais pas confiance à ton amie. Selon moi, elle veut s'enfuir toute seule avec le trésor.

John poursuit:

— Tu sais que Mary Read ne peut pas être son vrai nom. C'est celui d'une femme pirate du XVIIIe siècle.

Regardant Mary droit dans les yeux, Bob réagit avec grand calme:

— Qu'est-ce que tu as dit sur mon âge

mental, hein? Tu pensais que tu réussirais à m'avoir? Je savais que ce n'était pas ton vrai nom.

— Ah oui? demande Mary, méprisante.

Elle exhibe alors un pistolet, comme ceux qu'on utilisait au XVIIIe siècle.

Pendant que se mesurent Bob et Mary, Notdog se défait de son collier. Jocelyne le voit et sourit à l'idée que Jack Russell voulait qu'elle le resserre. Elle est contente de ne pas l'avoir écouté. Elle fait signe à son chien de venir près d'elle. Elle lui ordonne, tout bas:

— Tire, mon chien, tire.

Il saisit entre ses dents le bout de tissu qui a servi à l'attacher et commence à le déchirer.

Au moment où les liens sont défaits et que les inséparables vont déguerpir, au moment où Mary remercie Bob de l'avoir menée au trésor, à ce moment précis, la pelle de Gomme Balloune frappe et dévoile un coffre.

— On l'a! crie-t-il.

C'est alors que Jack Russell entre en scène.

Chapitre XII
En direct de l'île de la Tortue

— Police! Que personne ne bouge!

La surprise est grande pour tous. Pour Mary d'abord, qui perd son aplomb. Les trois secondes qu'elle met à réaliser que celui qui crie «Police!» n'a pas d'arme sont de trop, car Bob en profite pour lui enlever son pistolet.

— Ça va, les gars! lance-t-il à ses amis.

Mais déjà, sur l'ordre de sa maîtresse, Notdog lui mord un mollet. Jack Russell saisit le pistolet des mains de Bob et se penche vers Notdog.

— Tu es vraiment un bon chien. Un très, très bon chien.

Bob essaie d'insinuer qu'il s'était emparé du pistolet pour le remettre au policier, évidemment. Ses amis, aussi hypocrites les uns que les autres, abondent dans le même sens.

— Jamais Bob n'oserait utiliser une arme, l'assure Barbe Verte.

— Ah non? s'étonne Gomme Balloune.

Il reçoit alors un coup de coude de Mom Moucher. Et Ti-Guy Bacon s'enflamme:

— Jamais, monsieur le policier. Nous sommes d'honnêtes voyous!

Sans bruit, Mary recule vers le bois. Les inséparables l'arrêtent.

— Où allez-vous? demande Agnès.

— Tassez-vous, les microbes.

Quand Notdog la voit pousser Jocelyne, il bondit, vient se placer devant elle et lui montre ses crocs un peu jaunis.

— OK, dit Mary, tout doux. Ton chien a besoin d'un détartrage, lance-t-elle à Jocelyne en rejoignant Bob.

Jack Russell profite de l'avantage de son pistolet, en espérant qu'une vieillerie pareille fonctionne.

— Tout le monde s'assoit. On va jaser. Ce trésor peut attendre encore un peu.

Ça grommelle, ça chicane, ça marmonne, ça peste, ça ronchonne et ça rouspète. Mais tout le monde obéit.

— Alors, madame Read, que dirais-tu de nous révéler ton vrai nom?

Mary prend un air provocant.

— Je m'appelle Mary Read et je suis l'héritière du trésor d'Anne Bonny.

— Ah oui? Comment ça? demande Agnès.

Mary se lève, solennelle. Elle remonte une des manches de sa chemise et montre son tatouage du *Jolly Roger*.

— Voici la preuve. Il n'y a que l'héritière d'Anne qui porte ce tatouage.

Bob et ses amis se tournent vers Gomme Balloune.

— Mais M. Balloune a le même, riposte Jocelyne.

— Impossible! fulmine Mary.

Gomme Balloune vient comparer son tatouage avec celui de Mary: ils sont identiques.

Jack Russell tousse un peu pour se donner une contenance et, avec un air sérieux, demande:

— Où êtes-vous nés, tous les deux? Toi, Mary?

— À Shippagan, port de mer où Anne a abouti avec sa fille. Elle y a fini ses jours sous une fausse identité. Elle est mon arrière-arrière-arrière-arrière-arrière-arrière-grand-mère.

— Et toi?

Gomme Balloune, les yeux humides, revoit son enfance lointaine.

— Je ne sais pas trop. J'ai été adopté par un orphelinat. Il paraît que j'avais déjà mon tatouage. Sur le mot dans mes poches, on avait écrit: «Prenez-en soin. Et s'il a un enfant un jour, il doit le faire tatouer, comme lui, en souvenir de sa famille.»

Un moment, les inséparables sont émus devant ce grand dadais larmoyant.

Jack Russell parle en s'adressant à Notdog.

— Il y a des années que je suis sur cette piste. Et j'ai réussi à trouver la trace d'Anne Bonny. De l'île de la Tortue, le fameux repaire de pirates, jusqu'ici. Car elle s'est sauvée très loin, avant d'aboutir ici. Sous une autre identité, bien sûr.

«C'est sur l'emplacement de sa maison qu'a été construit le Pirate Maboule. Elle y est morte, d'ailleurs, et n'a jamais mis les pieds à Shippagan. Elle est aussi arrivée ici sans enfant. Soit il est mort, soit elle l'a abandonné en chemin…»

— C'est moi! hurle Mary.

— Non, c'est moi! crie Gomme Balloune.

— Peu importe, dit calmement Jack Russell. Aujourd'hui, ce trésor est à moi.

— Quoi? demandent-ils en choeur.

— Vous allez me déterrer ce coffre, commande Jack. Plus vite que ça.

Le pistolet qu'il tient est convaincant.

— Un faux policier, murmure John.

— Y a-t-il quelqu'un de vrai ici? s'exclame Jack Russell.

Bob et ses amis vont pelleter, pendant que Jack Russell surveille Mary et les inséparables de près. Lentement, le coffre est déterré. John se penche vers ses amies et murmure:

— Un si vieux pistolet ne doit tirer qu'un seul coup.

— Il faut utiliser Notdog, dit Agnès.

— C'est trop dangereux pour lui... Mais il est le seul qui pourrait...

Jack Russell se tourne à demi vers les inséparables.

— Oh! Ce chien! Je le garde. Il a un flair exceptionnel. Notdog, viens.

Impressionné par le dresseur, Notdog obéit. Jocelyne l'appelle. Jack Russell lui

ordonne de rester. «Ça ne fonctionne pas comme ça dans le cours, pense Notdog. À qui dois-je obéir?»

Jocelyne sort alors un biscuit de sa poche. Notdog a la réponse à sa question. Elle lance le biscuit entre les jambes de Jack Russell. Notdog bondit et fait vaciller le dresseur. Les inséparables sautent sur lui. John s'empare du pistolet et le jette à bout de bras dans les bois. On entend la détonation au loin.

À partir de là, c'est la pagaille générale. Chacun se précipite sur le trésor, le veut pour lui. Ti-Guy Bacon, le plus fort, ouvre le couvercle.

— C'est quoi, ça?

Le coffre contient une bouteille de verre hermétiquement fermée. Dedans, on voit une mèche de cheveux roux. Dans une autre, une mèche de cheveux gris. Un sac de tissu s'effrite: en tombe un écu.

Il y a aussi un dessin représentant le *Jolly Roger*, un couteau à la lame usée, une boucle d'oreille en forme d'anneau et, dans une bouteille claire, un papier plié. Ti-Guy remet la bouteille à Gomme Balloune.

— Après tout, il s'agit peut-être de ta famille.

Gomme Balloune l'ouvre. C'est une lettre en anglais. Il la tend à Mary.

— Peux-tu nous traduire ça?

— Je ne connais pas l'anglais, avoue-t-elle, penaude.

— Moi oui, dit John qui se met à déchiffrer l'écriture fine et rouge.

Je n'ai plus rien, moi qui ai abordé tant de vaisseaux, le couteau entre les dents, moi qui ai vu et tenu tant de richesses. Je laisse, pour qui trouvera ce coffre, une trace de mon passage sur Terre. Je suis Anne Bonny, la grande pirate. J'ai aussi confié mon enfant à une bonne famille, pour son bien. Je manie mieux la lame que le berceau. Ce geste aura été le seul généreux de ma vie, qui fut pleine et si excitante.

Mary est amère:

— Il n'y a rien de valeur là-dedans. Avoir su, je n'aurais pas souffert le martyre à me faire tatouer ce bateau-là! Ça m'apprendra à croire les histoires de Québécois qui immigrent chez nous!

— Ce n'est pas fini, continue John.

Il y a aussi les rubis. Ceux-là sont restés cachés chez moi. Sinon ça aurait été trop facile. Canada, 1750.

C'est à qui courra le plus vite vers les ruines du Pirate Maboule. Tous s'y précipitent. Sauf les inséparables, bien sûr.

L'héritage de la pirate

Chapitre XIII
Rubis sur l'ongle

Le lundi de l'Action de grâce est encore plus ensoleillé et chaud que les autres jours de la fin de semaine. Il y aura certainement au village un record d'affluence.

Depuis le matin, Steve La Patate a déjà servi cent «deux oeufs-bacon». Poutine, sur son perchoir, ne cesse de répéter: «Trop baveux, tes oeufs, Steve!»

À leur table préférée, les inséparables dégustent un chocolat chaud, gracieuseté de la maison. Notdog, lui, gruge une boulette de steak haché gelée. La pancarte qui lui interdisait l'entrée a disparu. On ne traite pas en paria le chien qui vient d'enrichir le musée local d'un pan de son histoire avec le trésor d'Anne Bonny.

— Je me demande jusqu'à quelle heure ils ont cherché au Pirate Maboule, dit Jocelyne.

— Ils ont dû tout arracher, imagine Agnès.

— Croyez-vous que Gomme Balloune est le vrai dessin d'Anne Bonny?

— Descendant, John, pas dessin, le reprend Agnès. Qui sait?

Ce qu'ils savent, par contre, c'est que Jack Russell a quitté l'auberge hier soir.

Une voix furieuse retentit.

— C'est quoi, ça: INTERDIT À BOB?

Bob Les Oreilles Bigras entre avec l'écriteau qui était collé sur la porte.

— Ah non, pas lui! crie Poutine.

— C'est une blague, ricane Steve, bien content de son petit effet.

— Très drôle, marmonne Bob.

Il se dirige vers les inséparables.

— Où sont tes amis? demande Agnès.

— Partis.

— Et Mary Read?

— Partie aussi. En passant, son vrai nom, c'est Josée.

Il se penche vers les enfants et chuchote:

— C'est Bob qui les a trouvés, les rubis. Hi, hi! Mais il ne l'a dit à personne. Et vous n'en saurez pas plus.

— Donc, c'est toi qui gagnes le concours

de menteries, conclut John.

Bob ne relève pas l'allusion et va commander un hot dog pour déjeuner.

Leurs chocolats terminés, les inséparables sortent. Ils arrivent à la limite du village et s'enfoncent dans le bois. Près de nulle part, Jocelyne donne un ordre à son chien en touchant le sol.

— Creuse, Notdog.

Notdog commence à creuser. Quand le trou est assez profond, Jocelyne y dépose la bourse contenant les rubis. Puis, elle couvre le tout de terre et de branches. Ensuite, elle offre deux biscuits à son chien.

Notdog n'en revient pas. «Je ne comprends pas. Est-ce que je dois déterrer ou enterrer les choses?»

Ils reprennent le chemin du village. Notdog gambade, alors qu'on peut entendre la voix d'Agnès se perdre dans le vent doux en disant:

— On aura certainement cent pour cent pour notre travail.

Notdog, volume 2

Table des matières

Qui veut entrer dans la légende ?......................................7

Les extraterrestres sont-ils des voleurs ?.........................97

Qui veut entrer dans la peau d'un chien ?....................187

L'héritage de la pirate...275

Découvrez les autres séries de la courte échelle

Hors collection Premier Roman

Série Fred :
Fred, volume 1

Série Sophie :
Sophie, volume 1

Série Les jumeaux Bulle :
Les jumeaux Bulle, volume 1

Série Marilou Polaire :
Marilou Polaire, volume 1

Série Clémentine :
Clémentine

Série Babouche :
Babouche

Hors collection Roman Jeunesse

Série Rosalie :
Rosalie, volume 1

Série Andréa-Maria et Arthur :
Andréa-Maria et Arthur, volume 1

Série Ani Croche :
Ani Croche, volume 1
Ani Croche, volume 2

Série Notdog :
Notdog, volume 1